Les bons gestes
de la
DÉCO

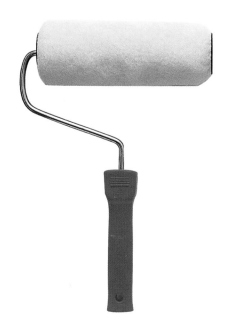

Les bons gestes de la DÉCO

Conseillers éditorials

NICHOLAS SPRINGMAN

JANE CHAPMAN

Auteurs des techniques
étapes par étapes

JULIAN CASSELL

PETER PARHAM

ANN CLOTHIER

• MARABOUT CÔTÉ DÉCO •

A Marshall Edition
© 2001 Marshall Editions Developments Limited
All rights reserved.

© 2003 Marabout/Hachette Livre
pour l'adaptation et la traduction française
Marabout/Hachette Livre,
43, quai de Grenelle – 75015 Paris

PAO : Penez Edition.

Edition : Stéphanie Mastronicola.

Imprimé en Espagne par Graficas Estella
Codif : 4037750/01
Dépôt légal : 34321 - Mai 2003
ISBN : 2501039645

SOMMAIRE

INTRODUCTION

FINI DE RÊVER en ouvrant un revue
de décoration intérieure ! Vous avez envie
de donner une touche plus personnelle
à son intérieur, de changer de couleur,
d'optimiser les espaces perdus…
Que vous ayez des idées précises ou pas,
cet ouvrage très détaillé vous aidera
à mener votre projet à bien. Apprenez
l'essentiel des bons gestes de la décoration
grâce à ses pas à pas ; peinture ou papier
peint, choix des couleurs et des effets,
pose de carrelage ou de moquette,
création d'étagères… Alors, n'hésitez plus
et lancez-vous ! Recréer votre maison
du sol au plafond. Et quel satisfaction
de pouvoir dire à vos amis, c'est moi
qui l'ai fait !

LA PEINTURE : TECHNIQUES ET OUTILS

LA PEINTURE : PRÉPARATION

DIFFICULTÉ : faible
DURÉE : un jour par pièce
OUTILS SPÉCIAUX : ponceuse électrique
VOIR PAGES 12 à 13

Pour obtenir un résultat durable et joli, tout travail de peinture se prépare avec soin. C'est la partie la moins intéressante, mais elle est indispensable : la plupart des échecs sont dus à un défaut d'organisation ou de préparation. Donc, réfléchissez avant de vous lancer. Utilisez les outils qui vous faciliteront le travail, une ponceuse électrique par exemple, pour réduire le temps de préparation.

Attention à ne pas éclabousser les objets ou surfaces que vous n'êtes pas censé peindre. Videz la pièce de ses meubles ou couvrez ces derniers avec des housses. Décollez les moquettes ou couvrez-les avec du papier kraft jusqu'au bord, en fixant celui-ci aux plinthes avec du ruban adhésif si nécessaire.

Remplissez trous et fentes avec un enduit (le choix est considérable) et lessivez les surfaces à peindre avant et après ponçage : il est indispensable d'enlever toutes les impuretés susceptibles de réagir à la peinture, le résultat final en dépend.

Si vous trouvez des taches résistantes, passez une couche d'apprêt au pinceau ou au pistolet afin d'éviter que la tache ne ressorte à travers la nouvelle peinture.

PEINDRE ÉTAPES PAR ÉTAPES

DIFFICULTÉ : faible
DURÉE : un jour
(selon la taille de la pièce)
OUTILS SPÉCIAUX : aucun
VOIR PAGES 14 à 15

Avant de peindre une pièce, il faut préparer les murs (voir pages 12 à 13) puis décider dans quel ordre on va peindre. On gagne du temps et on obtient un meilleur résultat en peignant les grandes surfaces – plafond puis murs – avant les détails : portes, fenêtres, moulures, tringles décoratives, encadrements et plinthes.

Commencez toujours en haut et progressez vers le bas. En effet, même si vous êtes très soigneux, il y a toujours des gouttes qui se perdent et elles ne tombent jamais vers le haut. En travaillant de haut en bas, vous rattrapez au fur et à mesure coulures et éclaboussures. Il est également plus facile de faire une démarcation bien nette entre les huisseries par exemple et les cloisons si l'on peint les huisseries en dernier.

Il ne suffit pas de suivre le bon ordre pour la pièce dans son ensemble, il faut également progresser avec méthode pour chaque sous-élément – porte, fenêtres, etc. – afin de ne pas oublier un côté lors du passage de chaque couche. Cela aide également à donner une belle apparence aux parties nettement délimitées de la porte ou de la fenêtre.

PEINDRE LES ACCÈS DIFFICILES

DIFFICULTÉ : faible à moyenne
DURÉE : dépend de l'importance du travail
OUTILS SPÉCIAUX : manche télescopique, rouleau à radiateur, bâche de protection
VOIR PAGES 16 à 17

Naturellement, il y a dans chaque pièce des endroits moins accessibles que les autres. Pour les peindre, il faut des techniques et des outils différents ; d'abord, tâchez d'en améliorer l'accès et assurez-vous que vous êtes correctement équipé : il vous faut peut-être des outils particuliers prévus pour la peinture de précision.

Un des principaux problèmes d'accès est dû à la hauteur des murs, des plafonds ou des fenêtres ; n'hésitez pas à vous hisser sur une échelle ou un escabeau. Certains outils sont utiles, par exemple un manche télescopique que l'on fixe à celui du rouleau : on peut ainsi peindre le plafond en restant debout sur le plancher.

Pinceaux

Papier cache

Brosse en soies de porc

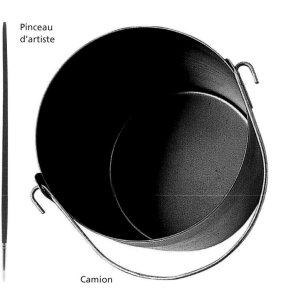

Pinceau d'artiste

Camion

Si vous ne pouvez pas démonter les radiateurs d'une pièce avant de la peindre, un rouleau pour radiateur convient à merveille pour peindre les parties inaccessibles.

Un accessoire qui vous aidera à faire un travail propre et soigné est un simple morceau de carton, particulièrement utile quand vous peignez le long d'une vitre par exemple ; vous le placez sur la vitre, vous peignez et le bord de votre brosse s'applique sur le carton et non sur la vitre. Vous gagnez ainsi le temps considérable que vous auriez perdu à gratter la peinture sur la vitre.

PEINDRE UN MEUBLE

DIFFICULTÉ : faible à moyenne
DURÉE : deux heures
OUTILS SPÉCIAUX : tampons
VOIR PAGES 18 à 19

Pour peindre les meubles, on s'y prend de la même façon que pour peindre les murs et boiseries ; ce n'est qu'une question d'échelle. Là aussi, il est important de procéder avec ordre pour être sûr de

passer le même nombre de couches partout.

La préparation du meuble est de la plus haute importance afin de toujours travailler sur une surface lisse, véritablement prête à peindre. Souvent il faut retirer les couches de peinture précédentes, ce qui est délicat si le meuble était précédemment ciré ou verni. La couleur de la peinture doit être en harmonie avec celle de la pièce ; repeindre un meuble est le meilleur moyen de l'intégrer au mieux dans la palette de peinture choisie pour la pièce.

On peut se servir de tampons pour créer un effet décoratif supplémentaire. On peut également donner d'emblée un effet vieilli pour éviter la présence trop criarde d'une peinture manifestement neuve. Après peinture, on peut protéger le meuble restauré en le cirant ou en le vernissant.

Pour garder en bon état des meubles soumis à un usage intensif – par exemple en cuisine –, on peut se contenter de repasser de temps en temps une couche de cire ou de vernis.

LA PATINE MÉTALLIQUE

DIFFICULTÉ : faible à moyenne
DURÉE : deux heures, plus séchage
OUTILS SPÉCIAUX : aucun
VOIR PAGE 28

Le progrès dans les peintures dites métallisées ouvre au décorateur un nouvel éventail de techniques. Ces peintures permettent de modifier totalement l'aspect des objets, mais leur coût en limite l'usage à des détails car il serait ruineux d'en couvrir murs et plafonds.

Vous avez le choix entre la peinture métallisée simple et la peinture métallisée d'aspect craquelé, qui donne une apparence vieillie. L'aspect craquelé est d'autant plus marqué que l'on souligne le fendillement en appliquant une couche de terre d'ombre brûlée : il faut ensuite essuyer immédiatement l'objet afin que le colorant ne demeure que dans les fentes.

LA PATINE VERT-DE-GRIS

DIFFICULTÉ : faible à moyenne
DURÉE : quatre heures par pièce en moyenne, plus séchage

OUTILS SPÉCIAUX : brosses pour pochoirs
VOIR PAGE 29

Le vert-de-gris est un effet différent de celui visé par les autres peintures métallisées. On cherche à donner l'impression d'une surface oxydée et vieillie, et non celle du métal poli brillant. L'effet vieilli convient particulièrement à des éléments moulurés fortement en relief, comme des corniches. En utilisant plusieurs couches de vernis appliquées dans le bon ordre, on obtient un effet vert-de-gris qui ressemble à s'y méprendre à la détérioration naturelle du cuivre, du laiton ou du bronze.

Plusieurs fabricants fournissent un jeu complet de peintures correspondantes sous forme de kit. Vous pouvez également faire vos propres mélanges avec du vernis acrylique normal et des colorants classiques. Pour préparer vos mélanges, référez-vous à quelques photos de vrai vert-de-gris pour arriver à une ressemblance satisfaisante des différentes nuances.

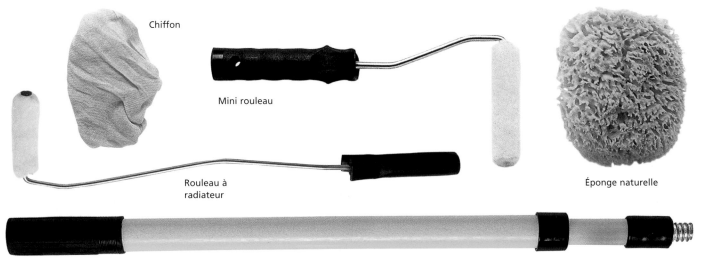

Chiffon

Mini rouleau

Rouleau à radiateur

Éponge naturelle

Manche télescopique

PEINDRE DES MURS ET SOLS AU POCHOIR

DIFFICULTÉ : faible à moyenne
DURÉE : un jour par pièce en moyenne
OUTILS SPÉCIAUX : crayon gras, cutter, brosses pour pochoirs
VOIR PAGES 30 à 31

En répétant les mêmes motifs peints au pochoir sur les murs et sur le sol, on obtient un effet décoratif bien intégré. Le grand intérêt des pochoirs, c'est que vous pouvez laisser libre cours à votre sens artistique en les fabriquant vous-même. Il suffit de faire un dessin au crayon gras sur une feuille de plastique transparent puis de découper au cutter.

Les frises au pochoir sont particulièrement élégantes au bas des murs ou le long des périmètres des sols, où elles semblent encadrer les autres éléments décoratifs. Il existe toutes sortes de combinaisons de pochoirs et de motifs utilisables sur les murs et les sols ; on peut se servir d'une ou de plusieurs couleurs. N'hésitez pas à faire des essais sur du vieux papier afin d'être bien sûr de votre choix.

PEINDRE UN MEUBLE AU POCHOIR

DIFFICULTÉ : faible à moyenne
DURÉE : moins d'un jour
OUTILS SPÉCIAUX : brosses pour pochoirs, pinceaux d'artiste
VOIR PAGES 32 à 33

La peinture d'un meuble au pochoir se prépare comme n'importe quel autre travail de peinture. La surface à peindre doit être préparée avec soin et l'on doit appliquer le nombre convenable de couches avant d'appliquer le pochoir. Plusieurs fabricants vendent des jeux de pochoirs assortis : vous pouvez soit suivre à la lettre les instructions fournies, soit apporter votre touche personnelle en créant vous-même vos pochoirs.

Prenez le temps de bien placer votre pochoir avant de peindre, et accordez votre attention au moindre détail. Le fait d'appliquer une couleur plus intense à tel ou tel endroit – par exemple au bord du pochoir – donne davantage de relief au motif. Servez-vous du pinceau d'artiste pour rechercher des effets particuliers.

LE GLACIS

DIFFICULTÉ : faible
DURÉE : un jour par pièce en moyenne
OUTILS SPÉCIAUX : pinceau en martre ou brosse en soies de porc
VOIR PAGE 34

C'est une technique simple qui permet d'obtenir un effet décoratif plaisant en posant un glacis teinté. C'est la méthode utilisée pour appliquer le glacis qui donne le relief. La rugosité du résultat dépend de la façon dont on estompe la peinture. On commence par passer une couche de peinture de couleur claire qui sert de base au glacis. Cette technique convient à des surfaces irrégulières, car la peinture tend à mieux accrocher dans les anfractuosités. Pour augmenter l'effet, passez plusieurs couches.

L'EFFET CÉRUSÉ

DIFFICULTÉ : faible
DURÉE : un jour par pièce en moyenne
OUTILS SPÉCIAUX : aucun
VOIR PAGE 35

Il s'agit de la même technique que le glacis, mais sur bois. On passe une couche d'une peinture-émulsion diluée ou d'un glacis teinté sur le bois nu : les veines du bois s'imprègnent du pigment contenu dans le glacis. On obtient ainsi un effet de bois teinté qui souligne les veines du bois.

Si vous voulez un effet cérusé sur des éléments décoratifs en bois, par exemple des baguettes ou des plinthes, traitez le bois avant de le fixer au mur, ce sera beaucoup plus facile. Une fois votre baguette cérusée, collez-la au mur afin qu'aucune vis ne vienne gâter l'effet recherché. Le bois cérusé côtoie avec bonheur le glacis : ensemble, ils constituent un effet décoratif harmonieux.

LE FAUX MARBRE

DIFFICULTÉ : moyenne à élevée
DURÉE : un ou deux jours par pièce en moyenne
OUTILS SPÉCIAUX : brosses à lisser et à vernir, brosse en soies de porc, pinceaux d'artiste
VOIR PAGES 36 à 37

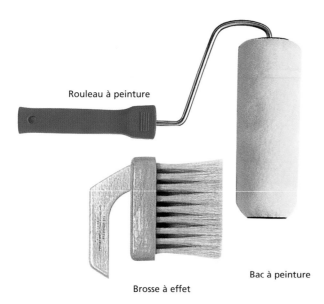

Rouleau à peinture

Brosse à effet

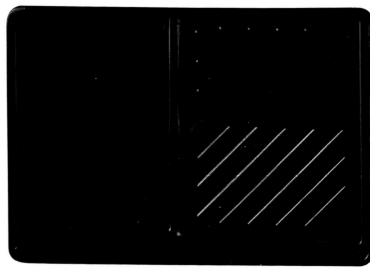

Bac à peinture

La peinture de faux marbre est un art difficile qui nécessite, pour obtenir de beaux résultats, une longue expérience. Mais, quand on le connaît, on peut décorer son logis de la cave au grenier. Si vous êtes débutant, suivez les instructions pas à pas, sans en sauter une étape : autrement, vous n'obtiendrez jamais un véritable effet de marbre. Avant de vous lancer dans la décoration de grandes surfaces, commencez par des projets peu ambitieux.

Mieux vaut travailler à deux car, si par exemple l'enduit sèche avant que vous n'ayez fini, il vous faudra tout recommencer.

Vous allez avoir besoin de nombreux pinceaux pour mener à bien votre tâche. Assurez-vous que vous les avez tous sous la main avant de vous lancer.

PEINDRE AU CHIFFON

DIFFICULTÉ : faible à moyenne
DURÉE : un jour en moyenne
OUTILS SPÉCIAUX : chiffons en coton
VOIR PAGES 38 à 39

Comme la plupart des effets en peinture, la peinture au chiffon utilise un enduit teinté : on étend celui-ci soit avec des chiffons, soit avec un pinceau, avant de créer des motifs et impressions au chiffon.

Les multiples façons de manier le chiffon permettent d'obtenir des effets très variés. Selon le cas, on obtient tantôt une peinture de finition à effet matière, tantôt un motif nettement directionnel, c'est-à-dire à l'aspect de rayures qui résulte de l'utilisation d'un rouleau de chiffons. Les parties à peindre sont au préalable délimitées avec du ruban faiblement adhésif : voir page 39 un exemple détaillé. Le même principe peut s'appliquer de toutes sortes de façons afin de créer des effets personnalisés très variés.

LES EFFETS DE PATINE

DIFFICULTÉ : faible à moyenne
DURÉE : un jour en moyenne
OUTILS SPÉCIAUX : spalter
VOIR PAGES 40 à 41

La patine est un effet matière qui s'obtient avec un pinceau spécial ou spalter permettant de marquer délicatement une surface couverte d'enduit décoratif. On obtient ainsi un effet matière qui se rapproche du velours. Sur la surface d'un mur, on peut d'ailleurs utiliser plusieurs couleurs et les mélanger lorsqu'on passe de l'une à l'autre.

Cette technique demande de la patience, surtout dans les coins ; dans ce cas, pour vous faciliter les choses, n'hésitez pas à vous servir d'un pinceau de taille plus petite.

LES DÉCOUPAGES

DIFFICULTÉ : faible à moyenne
DURÉE : deux à quatre heures en moyenne
OUTILS SPÉCIAUX : aucun
VOIR PAGES 42 à 43

Nous sortons là du cadre strict des techniques de peinture, mais la technique du découpage s'applique en général sur un fond peint qui la met mieux en valeur. Le découpage permet à chacun d'exprimer ses talents artistiques tout en ajoutant à un ensemble décoratif une touche tout à fait personnelle. On commence par fixer le découpage au mur grâce à une colle en aérosol, puis on le recouvre de plusieurs couches de vernis pour le protéger. Une autre technique consiste à fixer le découpage au mur avec une colle ordinaire pour papier peint diluée de façon à obtenir la consistance voulue, la même que pour fixer du papier de doublage.

On parvient ainsi à décorer des murs ou des meubles : c'est une méthode particulièrement intéressante pour créer une harmonie au moyen d'un motif ou d'un dessin que l'on retrouve à la fois sur les murs et sur des meubles, et par conséquent pour souligner l'unité du projet décoratif.

Par exemple, vous pouvez reproduire sur le dessus de la table basse le motif du papier peint collé sur les murs. À cet effet, il peut être utile, voire indispensable, de recouvrir la table basse d'une vitre afin d'assurer la pérennité du découpage. Pensez à biseauter les bords de la vitre afin d'éviter tout risque de vous couper les doigts.

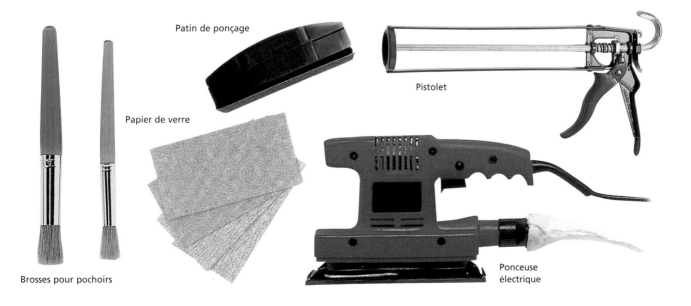

Patin de ponçage

Papier de verre

Pistolet

Brosses pour pochoirs

Ponceuse électrique

LA PEINTURE : PRÉPARATION

OUTILLAGE

Pour préparer :
Bâche en tissu
Papier cache adhésif
Sacs en plastique

Pour reboucher et poncer :
Couteau à enduire
Ponceuse ou papier
de verre

Pour lessiver :
Solution diluée de
détergent
Gants en caoutchouc
Seau, éponge

Pour étanchéifier :
Pistolet

Pour colorer :
Pinceaux (si nécessaire)

MATÉRIEL NÉCESSAIRE

Pour reboucher et poncer :
Enduit

Pour étanchéifier :
Tube de silicone

Pour colorer :
Apprêt

Pour tous les travaux de peinture, il est indispensable de prendre du temps pour préparer soigneusement les surfaces à peindre et organiser méthodiquement les différentes étapes de votre projet.

Certes, préparation et méthode représentent l'aspect le moins important et souvent le plus rebutant de la décoration, mais elles constituent la base indispensable sur laquelle s'appuie le succès. N'oubliez pas qu'il ne suffit pas de préparer les surfaces à peindre : encore faut-il protéger celles qui ne doivent pas l'être. Videz la pièce de tous ses meubles et éléments décoratifs ; ce que vous êtes obligé de laisser dans la pièce doit être couvert de housses et de bâches ou protégé avec du papier cache pour éviter les éclaboussures malencontreuses.

Si vous obtenez un résultat décevant, plusieurs facteurs peuvent en être la cause, mais c'est le plus souvent faute d'avoir convenablement passé l'enduit de ragréage approprié – qui permet de lisser la surface – et poncé ; à moins que vous n'ayez travaillé directement sur une surface sale. Il ne suffit pas de badigeonner de peinture la crasse et la saleté : celles-ci risquent fort de ressortir une fois le travail achevé et le résultat sera désastreux. N'omettez donc pas de lessiver murs et huisseries avant de tremper votre pinceau, ce n'est pas du temps perdu !

Si vous devez déplacer des tuyaux ou des conducteurs électriques, faites-le avant de commencer les finitions, faute de quoi celles-ci seraient à refaire. De la même façon, décidez au départ si vous préférez garder les tableaux et étagères au même endroit. Si ce n'est pas le cas, déposez-les, retirez les crochets du mur et bouchez les trous avant de peindre, puis raccrochez-les à l'endroit que vous aurez choisi une fois que la peinture aura séché.

PRÉPARER

1 Si la moquette doit rester en place pendant les travaux de peinture, couvrez-la intégralement, par exemple avec une bâche. Collez les bords aux plinthes avec du papier cache ou du ruban adhésif afin que la bâche ne glisse pas.

2 Protégez chaque lampe encastrée dans un sac en plastique, non sans avoir auparavant coupé le courant. Retirez ou protégez les poignées de porte – sans vous enfermer dans la pièce. Recouvrez les prises de courant avec du papier cache.

Reboucher et poncer

1 Les fentes et petits trous doivent être colmatés avec un enduit polyvalent. Dégagez bien les bords avec un cutter. Époussetez les menus gravats, puis mouillez les fissures avec de l'eau à l'aide d'un vieux pinceau.

2 Préparez votre enduit polyvalent de telle sorte qu'il soit lisse et ferme. Prenez-en une noix sur votre couteau à enduire et colmatez la fente. Appuyez sur la lame afin de bien faire pénétrer l'enduit au fond de la fissure. Faites du travail propre, vous aurez ensuite moins à poncer.

3 Quand l'enduit est sec, poncez. Une ponceuse électrique vous fera gagner du temps. Sur les trous profonds, il faut parfois passer l'enduit en plusieurs fois.

Lessiver

Toutes les surfaces à peindre doivent être lessivées, avant ou après rebouchage. Servez-vous d'une solution diluée de détergent pour ôter toute trace de crasse et de saleté. Rincez ensuite à l'eau tiède et propre.

Étanchéifier

Quand des fentes se produisent dans les angles, mieux vaut utiliser un matériau souple, par exemple du silicone. Celui-ci se présente en tube et s'applique au pistolet. Après avoir déposé un cordon de silicone, faites pénétrer en passant dans l'angle un doigt humide de bas en haut.

Colorer

Après lessivage, vous aurez çà et là des différences de coloration qui risquent de ressortir. Passez au pinceau ou à la bombe une couche d'apprêt d'une couleur proche de celle de la surface à peindre.

PEINDRE ÉTAPES PAR ÉTAPES

Afin de gagner du temps et de ne pas dépenser inutilement votre énergie, respectez scrupuleusement l'ordre des travaux. Réfléchissez à la manière dont vous allez procéder et établissez un plan d'action. D'une façon générale, il faut travailler de haut en bas : commencez par le plafond et les murs avant de vous attaquer aux portes, fenêtres et plinthes. En effet, il est plus facile de peindre une limite bien rectiligne en suivant le bord des huisseries plutôt que le contraire. Pour obtenir vraiment les meilleurs résultats, laissez sécher chaque couche avant d'appliquer la suivante. Pour les portes et les fenêtres, essayez de respecter un ordre de travail strict que vous aurez défini au préalable, surtout si vous passez deux couches de peinture ou davantage : en procédant dans le désordre, vous risquez d'oublier tel endroit ou de passer sur tel autre des couches inutiles.

ORDRE À SUIVRE POUR UNE PIÈCE

Il faut travailler de haut en bas pour éviter de recommencer à cause des coulures et éclaboussures.

Si vous commencez par le plafond – surtout si vous peignez au rouleau –, les gouttes tombant un peu partout seront couvertes au fur et à mesure que vous avancerez dans votre travail.

Mais, si vous peignez d'abord les parties les plus basses, vous éclabousserez au moment de peindre le plafond, ce qui n'arrangera pas le résultat de votre travail. Il est donc important de déterminer l'ordre des travaux. Voir à droite les étapes à suivre.

TRUCS ET ASTUCES

Pour calculer la quantité de peinture, consultez sur le pot les chiffres donnés par le fabricant. Les surfaces vierges – par exemple le plâtre neuf – boivent plus que les surfaces à repeindre. La première couche demande plus de peinture que la ou les suivantes. La quantité varie aussi suivant la marque. D'une façon générale, la peinture à l'eau ou acrylique a un pouvoir couvrant plus important que la peinture à l'huile.

1 Le plafond d'abord ! Si vous peignez au rouleau, commencez d'un côté du plafond et progressez vers le côté opposé. Quant aux angles, vous les ferez au pinceau.

2 Continuez avec la moulure ou la corniche. Respectez une limite bien rectiligne avec le plafond ; sur le mur, en revanche, cela ne fait rien s'il y a quelques bavures.

3, **4** et **5** Ensuite les murs, de haut en bas. Faites un raccord bien propre avec la moulure, sans trop vous préoccuper des lambris d'appui, plinthes et autres huisseries.

6, **7** et **8** Peignez les lambris d'appui et la plinthe, de haut en bas. Faites des raccords propres avec le mur.

9 Peignez les portes et fenêtres. Faites des raccords propres entre l'encadrement et le mur.

10 Si besoin, occupez-vous alors du sol.

PEINDRE UNE PORTE À PANNEAUX

La plupart des portes sont à panneaux ; pour les peindre, il faut procéder en bon ordre afin d'appliquer partout le même nombre de couches. Si vous procédez de manière rigoureuse, vous obtiendrez sans conteste le meilleur résultat au moindre prix. Retirez d'abord poignées, serrures et autres accessoires qui n'ont nul besoin d'être peints. C'est une excellente occasion de les nettoyer à fond ; vous les replacerez une fois la peinture sèche. L'ordre des opérations est illustré à droite. En le respectant, vous êtes assuré de n'oublier aucune des parties de la porte. Pendant votre travail, veillez à ne faire ni coulure ni éclaboussure, surtout contre les angles de panneaux. Essuyez-les si nécessaire.

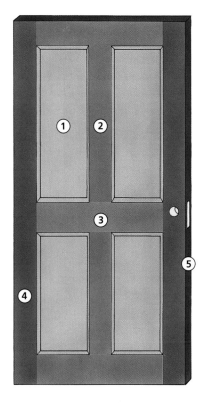

1 Commencez par peindre les panneaux, de haut en bas ; continuez avec les moulures. Contrairement à l'exemple présenté, certaines portes comportent plus de quatre panneaux ; dans tous les cas, travaillez toujours de haut en bas.

2 Peignez ensuite le montant central, celui qui fait la jonction entre les deux panneaux supérieurs.

3 Peignez la ou les traverses horizontales, de haut en bas.

4 Continuez en peignant les montants extérieurs.

5 Pour finir, peignez les côtés verticaux et horizontaux de la porte, puis le dormant.

PEINDRE UNE FENÊTRE À BATTANTS

Peindre une fenêtre demande plus de précision que peindre une porte à cause du verre. La meilleure solution, c'est de partager la fenêtre en sections. Commencez chaque section par la partie de la traverse longeant le verre, et éloignez-vous progressivement vers le dormant.

TRUCS ET ASTUCES

● Il existe sur le marché différents outils (voir page 17) qui facilitent la peinture des fenêtres : l'écran à bavette qui protège la vitre, et surtout la brosse coudée qui permet d'accéder plus facilement à l'angle où la traverse touche le verre.

● Si quelques gouttes de peinture tombent malencontreusement sur la vitre, laissez-les sécher puis ôtez-les à l'aide d'un grattoir spécial.

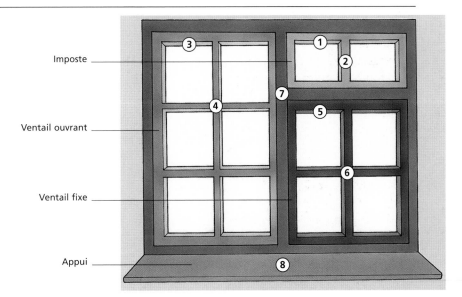

Imposte

Ventail ouvrant

Ventail fixe

Appui

1 et **2** Commencez le travail par le bâti de l'imposte ; faites ensuite sa traverse.

3 et **4** Vous pouvez alors peindre le bâti du vantail ouvrant, puis ses traverses.

5 et **6** Peignez le bâti du vantail fixe, puis sa traverse.

7 Peignez le châssis.

8 Essuyez l'appui avec un chiffon imbibé de white-spirit et peignez-le.

PEINDRE LES ACCÈS DIFFICILES

OUTILLAGE

Manche télescopique et pinceau à long manche
Chiffon et papier cache
Rouleau à radiateur, carton et papier cache de faible adhérence
Carton mince, écran à bavette
Petit pinceau
Pinceau d'artiste

Toutes les surfaces ne sont pas faciles à peindre : certains endroits sont peu accessibles, parfois on a des difficultés à placer le pinceau ou le rouleau, d'autres fois la surface est elle-même réfractaire. La plupart du temps, il suffit de faire comme Michel-Ange au plafond de la chapelle Sixtine : procéder avec méthode.

Vous trouverez dans le commerce de nombreux outils fort utiles : par exemple différents masques, caches ou écrans pour protéger les endroits que vous ne désirez pas peindre. Prévoyez tout à l'avance : vous gagnerez un temps précieux en ayant sous la main le bon outil au bon moment.

TOUJOURS PLUS HAUT

1 Les rouleaux à manche télescopique vous feront gagner du temps : plus besoin de va-et-vient sur l'escabeau pour peindre le plafond et le haut des murs. Assurez-vous avant l'achat que les manches télescopiques s'emboîtent bien dans la monture de votre rouleau.

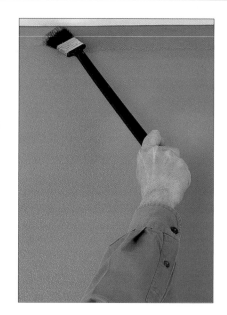

2 Une fois le rouleau passé en haut du mur, il faut procéder à la finition. Pour peindre le raccord, utilisez de préférence un pinceau coudé à manche long, qui vous permettra de travailler en restant debout sur le sol.

ATTENTION AUX MURS

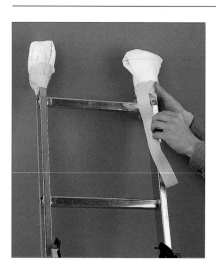

Dans les endroits particulièrement hauts, par exemple les cages d'escalier, vous aurez certainement besoin d'une échelle. Emmaillotez soigneusement votre échelle pour éviter que les bords supérieurs n'égratignent votre mur.

TRUCS ET ASTUCES

De nos jours, les échelles ont fait des progrès : il est maintenant inutile d'en acheter une pour chaque usage. À l'extérieur, vous aurez peut-être besoin d'échelles de grande longueur mais, à l'intérieur, les échelles transformables doivent servir à la fois d'escabeau, d'échelle articulée normale et de plate-forme de travail. Au prix d'une petite dépense supplémentaire, la qualité paie : elle vous fera gagner du temps et de la place, vous amortirez ainsi rapidement votre investissement initial.

Radiateurs

1 L'idéal est de démonter le radiateur pour peindre derrière, mais il faut pour cela connaître la plomberie. Et puis, un radiateur, c'est lourd. Servez-vous plutôt d'un rouleau à radiateur, qui se glisse n'importe où.

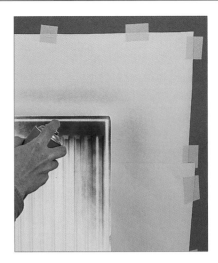

2 Fermez le robinet de votre radiateur avant de le peindre. Les bombes de peinture en aérosol vous feront gagner du temps, mais portez un masque de protection. Protégez également le mur pour éviter à tout prix de le peindre en même temps, même s'il est rigoureusement de la même couleur.

Caches, écrans et masques

Vous peindrez plus vite un tuyau en glissant derrière un morceau de carton pour protéger le mur. Au fur et à mesure que votre travail avance, déplacez le carton d'une main et le pinceau de l'autre.

Il est fort long de peindre les fenêtres à cause de la précision des raccords : en effet, il ne faut pas peindre les vitres. Gagnez du temps grâce à un écran à bavette que vous posez dans l'angle entre la vitre et la traverse : ainsi, les bavures ne toucheront que la bavette.

Finitions

1 La peinture de certains détails comme les corniches risque de prendre du temps ; accélérez le processus en gardant la couleur de l'apprêt comme couleur de fond.

2 Avec un pinceau d'artiste fin, fignolez les détails couleur par couleur. Ce type de peinture demande du temps, mais le jeu en vaut la chandelle.

PEINDRE UN MEUBLE

OUTILLAGE

Papier de verre à gros
grain et à grain fin
Chiffon
Pinceau
Tampon(s)
Rouleau à tampon
Paille de fer fine

MATÉRIEL NÉCESSAIRE

Peinture-émulsion
Peinture laquée
Cire transparente

Il suffit parfois d'une couche de peinture pour transformer un vieux meuble ou modifier un meuble neuf. Les choix sont variés ; on applique les couches de peinture avec ou sans ponçage intermédiaire selon que l'on désire un fini uniforme ou vieilli. Dans l'exemple de cette double page, on a choisi de rénover une chaise ancienne tout en lui donnant un cachet à l'ancienne.

Les tampons constituent une technique de décoration supplémentaire ; le choix des couleurs et des motifs du tampon est une affaire de goût personnel mais, détail important, il ne faut pas perdre de vue la palette retenue pour l'ensemble de la pièce. Les débutants courent le risque de dépasser l'effet recherché en distribuant les coups de tampon à tort et à travers. N'en faites pas trop et n'oubliez pas cette règle essentielle : l'œuvre d'art est parfaite quand on ne peut plus rien lui enlever.

Peindre un meuble est la façon la plus simple d'adoucir une palette de couleurs et d'intégrer dans la pièce les sièges et autres objets de décoration.

1 Poncez intégralement la chaise avec du papier de verre au grain de plus en plus fin. Retirez ainsi la vieille peinture qui s'écaille, puis essuyez avec un chiffon propre et humide pour retirer toute trace de poussière.

2 Appliquez de haut en bas une couche de peinture-émulsion de façon bien régulière. Laissez sécher, puis passez la deuxième couche. Pendant tout le travail de peinture, retirez chaque coulure d'un coup de pinceau au fur et à mesure.

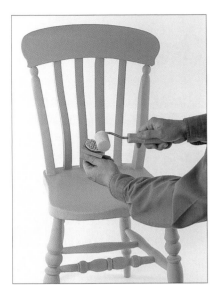

3 Enduisez le tampon de peinture d'un coup de rouleau et faites un essai sur un morceau de papier. Veillez à ce que l'épaisseur de peinture soit constante.

4 Présentez le tampon en face de l'endroit souhaité, puis appliquez-le fermement de haut en bas, en prenant garde de ne pas le déplacer.

5 Retirez le tampon bien droit, en évitant de nouveau de le frotter contre la surface de la chaise. Imprégnez à nouveau le tampon de peinture et appliquez le coup de tampon suivant. Changez de tampon si nécessaire.

6 Une fois la peinture sèche, poncez légèrement avec du papier de verre fin les endroits à « vieillir », notamment les angles et les parties des moulures en saillie, plus exposés que le reste du meuble à une usure prématurée.

7 Comme finition, passez une couche de cire transparente avec de la paille de fer fine pour protéger la peinture. Cette opération va encore retirer un peu de peinture, y compris des motifs décoratifs : cela ne fera que renforcer l'effet de vieillissement.

LE THÈME DE LA MER

Des meubles décorés de façon personnalisée permettent de parfaire la palette d'une pièce. Ici, une vaste cuisine où l'on retrouve à plusieurs endroits la couleur de la table en bois naturel. Le reste de la table a reçu plusieurs couches de peinture gris clair, que l'on a vieillie avant d'ajouter le motif du poisson au tampon.

LA THÉORIE DES COULEURS

TERMINOLOGIE

- **Couleurs primaires** – Le rouge, le bleu et le jaune purs sont les couleurs primaires à partir desquelles sont composées toutes les autres, et les seules qui ne peuvent s'obtenir par mélange d'autres couleurs.
- **Couleurs secondaires** – Elles sont composées en quantités égales de deux couleurs primaires. Le bleu et le jaune donnent le vert ; le jaune et le rouge, l'orange ; le rouge et le bleu, le violet.
- **Couleurs tertiaires** – Elles s'obtiennent en mélangeant en quantités égales une couleur primaire et une couleur secondaire voisine. L'écarlate est un mélange de rouge et d'orange ; le jaune d'or, d'orange et de jaune ; le vert chartreuse, de jaune et de vert ; le turquoise, de bleu et de vert ; l'indigo, de bleu et de violet ; le pourpre, de rouge et de violet.
- **Couleurs neutres** – Le noir, le blanc, le gris et le marron sont des couleurs neutres qui servent à éclaircir ou à foncer les autres, ou s'utilisent seules pour rendre plus neutre une palette de couleurs.
- **Chromatisme** – Des millions d'autres couleurs s'obtiennent en mélangeant des couleurs adjacentes.
- **Teinte** – C'est la propriété d'une couleur qui la rend différente d'une autre.
- **Luminosité** – La valeur d'un ton mesure à quel point une couleur est claire ou foncée.
- **Ton dégradé** – C'est une couleur à laquelle on a ajouté du blanc, ce qui l'éclaircit.
- **Ton rabattu** – C'est une couleur à laquelle on a mélangé du noir, ce qui la fonce.
- **Couleur pure** – C'est une couleur intense à laquelle on n'a ajouté aucune couleur neutre.
- **Saturation** – Une couleur saturée est dite vive ; à l'inverse, elle est lavée.

La couleur est la façon la plus efficace et la moins coûteuse de transformer une pièce. Avec ce principe en tête, on peut donner une plus ou moins grande impression d'espace, ou créer le type d'atmosphère ou d'ambiance que l'on recherche. Avec un bon éclairage, l'œil de l'homme fait la différence entre une dizaine de millions de couleurs, dont chacune a une relation précise avec les autres. Afin de faire le meilleur choix de couleurs, il faut comprendre la relation que celles-ci ont entre elles et comment elles s'influencent réciproquement. Toutes les couleurs se composent de rouge, de bleu et de jaune, les couleurs primaires. La luminosité de ces couleurs va en fonçant si l'on y ajoute du noir (tons rabattus) et vers le clair avec du blanc (tons dégradés).

LE NUANCIER DE BASE

Le disque ci-dessous présente douze couleurs pures, les trois primaires, les trois secondaires et les six tertiaires ; chacune est disposée en fonction de ses relations avec ses voisines. Les trois couleurs primaires sont disposées à égale distance les unes des autres, les trois secondaires sont chacune entre deux primaires tandis que chaque couleur tertiaire se situe entre la couleur primaire et la couleur secondaire qui la composent.

Le nuancier de base
Ce nuancier contient douze couleurs, c'est-à-dire toutes les couleurs primaires, secondaires et tertiaires.

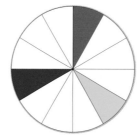

Les couleurs primaires
Le rouge, le bleu et le jaune sont les trois seules couleurs que l'on n'obtient pas par mélange d'autres couleurs.

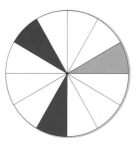

Les couleurs secondaires
Le violet, le vert et l'orange sont les trois couleurs secondaires composées en quantités égales de deux couleurs primaires.

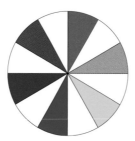

Les couleurs tertiaires
Ces six couleurs s'obtiennent en mélangeant une couleur primaire avec la couleur secondaire voisine.

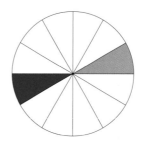

Les couleurs complémentaires
Deux couleurs à 180 degrés l'une de l'autre sont réputées complémentaires.

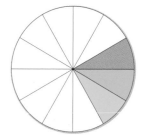

Les couleurs en dégradé
Trois couleurs adjacentes de même teinte et d'intensités différentes forment un dégradé.

TEINTE, LUMINOSITÉ ET SATURATION

Quand on choisit une couleur, il faut prendre en compte trois caractéristiques majeures. La teinte définit la place des couleurs dans le spectre en fonction des proportions des couleurs de base que l'on a mêlées pour l'obtenir. La luminosité définit le caractère plus ou moins clair de cette couleur. Enfin, la saturation en mesure l'intensité. Quand on mélange une couleur, elle perd de son intensité ; le gris s'obtient en mélangeant les trois couleurs primaires. Le nuancier ci-dessous montre comment ces caractéristiques se combinent.

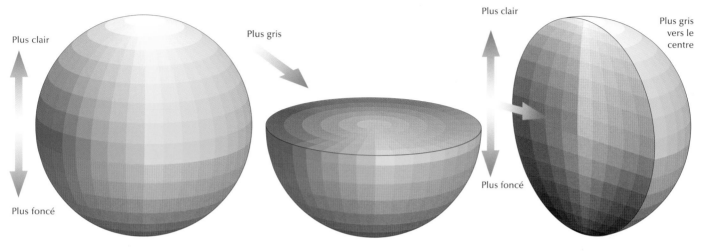

Surface extérieure du nuancier sphérique
La surface extérieure montre les couleurs le long de l'équateur, tandis que les tons dégradés et rabattus occupent les méridiens.

Coupe horizontale du nuancier sphérique
Cette coupe montre que les teintes intenses proches de la surface s'atténuent jusqu'au cœur, qui est tout gris.

Coupe verticale du nuancier sphérique
Cette coupe montre la façon dont les tons dégradés et rabattus s'atténuent peu à peu en se rapprochant du centre de la sphère.

LE NUANCIER CIRCULAIRE

La plupart des nuanciers en forme de disque ne se limitent pas à douze couleurs, ils offrent un choix plus vaste de teintes. Le principal avantage d'un nuancier, c'est de montrer au premier coup d'œil quelles couleurs sont en harmonie, lesquelles sont complémentaires, lesquelles sont chaudes ou froides. Les couleurs chaudes, situées dans la partie gauche du disque, ont une longueur d'onde importante qui donne l'impression qu'elles se rapprochent : par exemple, le rouge et l'orange. Les couleurs froides, situées à droite du disque, ont des longueurs d'onde plus courtes qui donnent l'impression qu'elles s'éloignent : par exemple, le bleu et le vert. La disposition des teintes permet à l'utilisateur de visualiser la relation entre les deux parties du disque et de choisir rapidement les couleurs qui lui conviennent pour obtenir l'effet recherché.

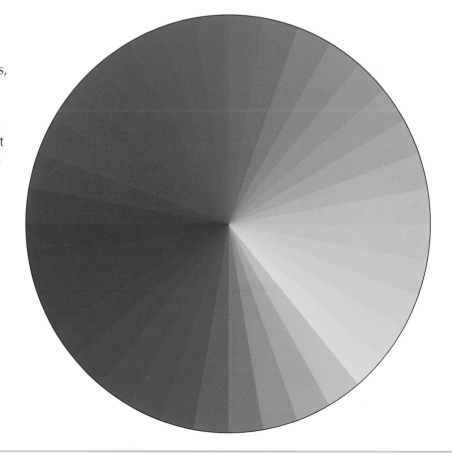

CONTRASTE ET LUMINOSITÉ

MARIER LES COULEURS

Chaque couleur a ses caractéristiques individuelles, mais l'effet qu'elle produit dépend des couleurs qui l'entourent.

Le rouge exprime toute son intensité sur fond blanc.

Le rouge devient plus spectaculaire sur fond noir.

Le rouge et le jaune sont des couleurs vives.

La fraîcheur du bleu atténue la chaleur du rouge.

Le rouge et le vert sont complémentaires.

Le rouge et le bordeaux sont en harmonie.

Le gris est neutre : il ne concurrence pas le rouge.

Le rouge domine le bleu ciel, qui est une couleur douce.

Le rouge et l'orange sont chauds et vifs.

La juxtaposition du violet et du rouge est provocante.

P eindre et meubler une pièce avec une seule couleur sans nuance de luminosité est une grossière erreur : on remédie à la monotonie en juxtaposant deux couleurs ou davantage afin de provoquer un contraste de teintes, ou en jouant sur l'échelle des luminosités afin de donner un relief chromatique. Voyons les différentes façons de combiner les couleurs.

COULEURS ET PROPORTIONS

LES SYSTÈMES TRICHROMATIQUES

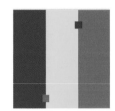

La palette trichromatique se compose de trois couleurs espacées à intervalles égaux (120 degrés) sur le nuancier circulaire. En général, des couleurs en fort contraste se concurrencent de façon discordante si on les utilise sur des surfaces égales. Pour davantage d'équilibre, il est conseillé de les atténuer avec du gris ou du blanc ; il faut laisser une couleur dominer, les deux autres l'équilibrant avec des surfaces moindres.

LES COULEURS COMPLÉMENTAIRES

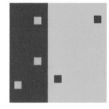
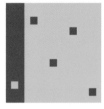
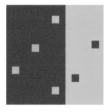

Pour atteindre la variété sans discordance, les palettes de couleurs complémentaires se composent de deux couleurs directement à l'opposé l'une de l'autre sur le nuancier circulaire. Comme elles n'ont aucun élément commun, elles risquent de se concurrencer de façon discordante si elles occupent une surface égale. Par conséquent, mieux vaut en laisser une dominer. Ici, l'indigo et le jaune d'or se combinent dans différentes proportions.

LES COULEURS EN HARMONIE

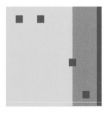

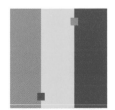

Les couleurs en harmonie sont voisines sur le nuancier circulaire, leur juxtaposition procure de subtiles variations de teintes. Comme ces couleurs ont des bases communes, le contraste est peu marqué. Par conséquent, les couleurs en harmonie ne se concurrencent pas si elles occupent la même surface ; en revanche, celles qui occupent la plus faible surface tendent à passer inaperçues. Ici, différentes proportions de jaune, de vert et de vert chartreuse.

L'ÉCLAIRAGE NATUREL

On peut créer une palette décorative remarquable à partir du spectre chromatique d'une seule couleur. Dans ces camaïeux, la diversité provient du contraste entre les tons dégradés, les tons rabattus et les tons moyens. La luminosité joue aussi un rôle important dans les camaïeux : on peut mélanger les couleurs avec du blanc et du noir pour atténuer la vivacité de couleurs

agressives qui, sous leur forme pure, constitueraient un contraste trop violent. D'une façon générale, si l'on juxtapose des couleurs vives et contrastées sur des surfaces égales, il faut rétrécir l'éventail des luminosités. Dans un camaïeu en revanche, ou avec des couleurs neutres ou en harmonie, la variété exige que l'on fasse appel à tout l'éventail des luminosités.

◀ Toutes les couleurs ont un spectre chromatique qui va du blanc au noir. Chaque couleur pure peut être modifiée en lui ajoutant du blanc pour obtenir des dégradés de plus en plus clairs, ou du noir pour obtenir des tons rabattus de plus en plus foncés. À chaque augmentation de blanc ou de noir, le contraste avec les autres couleurs diminue.

◀ Cette suite se compose d'une chambre à coucher et d'une salle de bains attenante ; le camaïeu de bleus couvrant les murs, le sol et le plafond donne une impression d'ensemble reposante. L'uniformité des couleurs réunit de façon intelligente les deux volumes communicants. Le contraste est fourni par le jaune des rideaux du baldaquin, de la bavette autour du lit et des rideaux de l'armoire, et par le blanc des sanitaires dans la salle de bains.

◀ Présentation du camaïeu de bleus, à côté du jaune pour le contraste.

CHOISIR LES COULEURS

TRUCS ET ASTUCES

● Dans chaque pièce, limitez le nombre des couleurs. Utilisez une palette restreinte et créez la variété grâce aux dégradés.

● Dans le choix de la palette, recherchez l'harmonie des tons avant de fixer les teintes car c'est le contraste entre le clair et l'obscur qui change le plus l'aspect visuel d'une pièce. La meilleure façon d'essayer une couleur, c'est de peindre un grand morceau de carton que l'on observera à différentes heures du jour.

● La teinte d'une couleur définit l'atmosphère de la pièce comme le montre l'encadré sur les caractéristiques des couleurs (voir page 26).

● Les couleurs de teintes contrastées se marient mieux si la valeur de leurs tons est la même.

● Les couleurs neutres et les camaïeux ont besoin de tons contrastés pour éviter la monotonie.

● Utilisez les couleurs vives avec modération, faites-les ressortir sur de vastes surfaces de couleurs pastel ou de nuances neutres.

● Les sols sombres absorbent la lumière naturelle et artificielle, et l'empêchent de se réfléchir dans la pièce. Les sols clairs sont lumineux.

● Pour les sols et les planchers, les couleurs naturelles vous donneront une atmosphère traditionnelle. Autrement, vous obtiendrez une ambiance plus contemporaine.

● La texture des matériaux joue un rôle important dans les choix du décorateur et doit être prise en compte pour s'accorder avec les couleurs.

Quand on décide de refaire une pièce, il faut en déterminer le rôle, aménager le volume en conséquence et choisir l'effet que l'on souhaite obtenir : il ne suffit pas de badigeonner partout une couleur plaisante. La taille et les proportions de la pièce, la lumière du jour qui y pénètre et la place des principaux meubles ont une influence décisive sur le choix de couleurs. Une fois le plan d'ensemble arrêté, choisissez la couleur qui rendra le mieux l'effet désiré : fraîcheur, espace, chaleur, intimité. Choisissez ensuite les autres couleurs qui feront ressortir la couleur dominante et l'équilibreront. Avant le premier coup de pinceau, confectionnez une palette d'échantillons afin de tester votre choix de couleurs (voir ci-contre).

◄ ▼ Les différences de luminosité s'apprécient plus facilement sur une photo en noir et blanc que sur une photo en couleurs. Dans cette cuisine, les placards moutarde sont plus clairs que les murs, le plancher et la paillasse. Le contraste apparaît nettement sur la photo en noir et blanc, où les placards sont gris clair tandis que les autres éléments sont gris plus foncé. Le chrome des ustensiles et du four constitue un vif contraste.

L'UTILITÉ D'UNE PALETTE D'ÉCHANTILLONS

La réussite d'un choix de décoration ne dépend exclusivement ni des couleurs, ni de l'importance relative des surfaces occupées par chacune ; il faut que s'accordent les motifs, les styles et les textures présents dans la pièce. Avant de refaire un espace, un vrai décorateur confectionne une palette d'échantillons afin de vérifier la façon dont s'harmonisent couleurs, tissus et motifs.

Une palette d'échantillons, c'est avant tout un morceau de carton ou de mousse sur lequel on trouve des couleurs peintes et des échantillons de moquette, de papier peint et de tissu d'ameublement. Une palette d'échantillons est facile à confectionner, et peut éviter

de coûteuses erreurs : quand on a acheté des matériaux qui jurent entre eux, qu'en faire ? La palette permet également de mesurer l'impact de l'ajout d'un élément ou du retrait d'un autre ; enfin, la palette est un moyen efficace de déterminer votre propre style et vos préférences en matière de couleurs.

Pour confectionner une palette d'échantillons, il est plus judicieux de respecter le rapport des surfaces de la pièce réelle. Les revêtements muraux par exemple occuperont la plus grande surface de votre palette d'échantillons, tandis que le tissu des coussins et des autres éléments décoratifs ne prendra que peu de place.

▶ La couleur du fond de la palette d'échantillons doit être celle choisie pour les murs : ceux-ci représentent en effet la surface la plus importante de la pièce. On fixe donc d'abord un morceau de papier peint (ou on enduit la palette elle-même) en lui attribuant le numéro correspondant de la légende. Tracez vos traits à l'envers de chaque échantillon, et coupez suivant la ligne. Découpez les tissus avec des ciseaux à cranter pour éviter qu'ils ne s'effilochent.

Essayez de placer les échantillons à l'endroit qu'ils occuperont effectivement dans la pièce. Effectuez des recouvrements pour voir comment les couleurs, les motifs et les textures se marient. Par exemple, le tissu d'une cantonnière doit être superposé à celui du rideau. De même pour un coussin sur un canapé.

Le papier peint occupe la plus grande surface sur la palette. Sa couleur neutre mais chaleureuse donne l'atmosphère de toute la pièce.

Trois tons rabattus ont été retenus pour la peinture. Le plus foncé est celui de la plinthe qui lie la moquette avec le reste de la palette.

Un ton dégradé doux a été retenu pour le plafond plutôt qu'un blanc pharmaceutique qui jurerait avec les murs.

Un cachemire un peu passé comportant des taches vertes (couleur complémentaire) a été retenu pour les rideaux et un ou deux coussins : ce seront les seules taches de couleurs vives de la pièce. Le tissu naturel du store offre un contraste par sa texture et sa couleur.

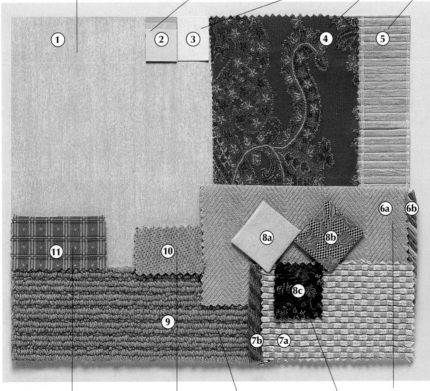

LÉGENDE
1 Papier peint
2 Peinture des boiseries
3 Peinture du plafond
4 Tissu des rideaux et coussins
5 Store enrouleur
6a Tissu du canapé
6b Passepoil du canapé
7a Tissu des fauteuils
7b Passepoil des fauteuils
8a Coussins
8b Coussins
8c Coussins
9 Moquette
10 Tissu du fauteuil de bureau
11 Tissu des chaises

Un tissu écossais de couleurs vives est un bon choix pour les chaises de salle à manger, la couleur ressortant sur le bois du cadre.

Un tissu de chenille a été sélectionné pour le fauteuil de bureau rappelant la couleur du canapé et des fauteuils de salon.

La moquette côtelée dans un ton rabattu à la fois neutre et chaleureux, stabilise la palette et offre un contraste de textures.

Le tissu du canapé, avec ses gaufrures en chevrons, fait ressortir les coussins. Le passepoil choisi pour le tissu reprend le ton des rideaux et des chaises de salle à manger.

Dans toute pièce, il faut une tache noire : ici, le tissu d'un coussin.

L'IMPACT DES COULEURS

CARACTÉRISTIQUES DES COULEURS

● **Rouge** – Le rouge est la couleur chaude par excellence ; pure, elle est souvent associée au danger et à l'excitation. Le rose et les nuances claires du rouge sont moins agressifs. Quant au bordeaux et aux nuances plus sombres, leur côté somptueux évoque la richesse.

● **Bleu** – Saturée, cette couleur est la plus froide ; elle a un effet opposé à celui du rouge : elle calme. Les tons dégradés du bleu évoquent fraîcheur et propreté, tandis que les tons rabattus évoquent dignité et fiabilité.

● **Jaune** – Dans toute son intensité, le jaune est une couleur choc, joyeuse. Ses tons dégradés sont lumineux et frais, tandis que ses tons rabattus, terreux, sont plus discrets.

● **Violet** – Mélange de bleu et de rouge, le violet est une couleur délicate. Ses tons dégradés comme le pourpre ont longtemps été l'apanage de la monarchie, tandis que ses tons rabattus ont quelque chose de nostalgique.

● **Orange** – Mélange brûlant de rouge et de jaune, l'orange est une couleur chaude et chaleureuse. Mélangé au noir, il tire vers l'ocre, tandis que mélangé au blanc, il reste gai et relaxant.

● **Vert** – Mélange apaisant de bleu et de jaune, le vert est nettement associé à la nature. Ses tons rabattus ont quelque chose de discret et de traditionnel, tandis que ses tons dégradés sont gais, voire enjoués.

● **Gris** – Couleur neutre et sans éclat, le gris peut s'utiliser pour tempérer des couleurs voisines trop tapageuses.

La couleur ne change pas seulement l'ambiance d'une pièce, elle en modifie les propriétés optiques. Les couleurs chaudes comme le rouge, dont la longueur d'onde est importante, ou sombres qui ne réfléchissent qu'une petite partie de la lumière semblent avancer vers l'œil et, de ce fait, rapetissent la pièce. À l'opposé, les couleurs froides comme le bleu doivent à leur longueur d'onde plus petite de donner une impression d'éloignement, qui grandit la pièce. Les couleurs de différentes teintes et luminosités peuvent modifier les proportions optiques d'un volume. L'éclairage a lui aussi une influence majeure sur l'aspect d'une pièce : les pièces ensoleillées ont l'air plus grandes que les pièces obscures qui ne reçoivent jamais la lumière du soleil.

L'EFFET DE LA LUMIÈRE

La lumière du jour se compose de sept couleurs : le rouge, l'orange, le jaune, le vert, le bleu, l'indigo et le violet ; mais la couleur n'est pas la même suivant l'heure. La lumière du matin est chaude, celle de midi est neutre et la journée s'achève dans le bleu. L'éclairage artificiel a lui aussi ses couleurs : les ampoules à incandescence sont jaunes, les fluorescentes sont bleues et les halogènes sont d'un blanc violent.

◄ Le type et l'intensité de la lumière changent la couleur des peintures et des tissus. Dans cette pièce directement exposée au soleil de midi, les couleurs gardent leurs teintes d'origine mais avec des gradations subtiles. Les ombres portées et leurs reflets produisent un joli résultat.

◄ Une pièce éclairée avec des ampoules à incandescence baigne dans le jaune. Les couleurs neutres et pâles sont plus chaudes, offrant une atmosphère intime. Les ampoules fluorescentes ou à halogène rehaussent les couleurs fortes, mais elles peuvent étouffer les couleurs neutres.

DES COULEURS POUR CRÉER L'ILLUSION

Les transformations les plus spectaculaires dans l'aspect visuel d'une pièce s'obtiennent en modifiant l'équilibre chromatique. Toutes les couleurs pâles, même les plus chaudes, agrandissent une pièce. Inversement, les couleurs sombres – même les froides – rapetissent. Ci-dessous, on observe l'effet de différents dosages entre une couleur sombre et une couleur claire sur notre perception du volume de la même pièce.

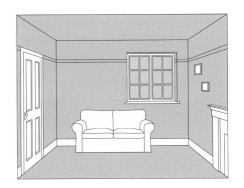

Une peinture strictement monochrome respecte les proportions de la pièce, mais une couleur claire donnera une plus grande impression d'espace qu'une couleur sombre.

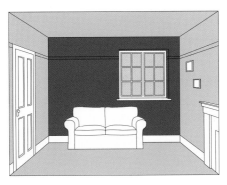

Un seul mur peint en sombre donne l'impression que le mur est proche : c'est une façon de raccourcir une pièce trop longue, trop étroite ou un couloir.

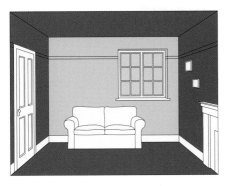

Une seule paroi peinte de couleur claire et celle-ci donne l'impression de s'éloigner. Cet artifice permet d'aérer une pièce cubique, qui devient alors parallélépipédique.

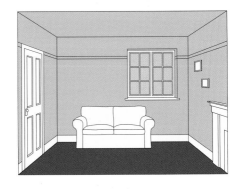

Un sol sombre rétrécit, un sol clair élargit. Une petite pièce à sol sombre aura l'air encombrée même si les murs sont clairs.

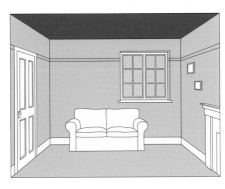

Pour faire apparaître un plafond moins haut, il suffit de le peindre d'une couleur plus sombre que celle des murs. À retenir pour les petites pièces trop hautes de plafond.

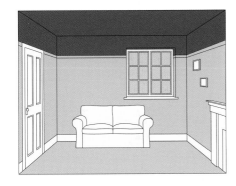

Pour réduire davantage la hauteur d'une pièce, descendre la limite de la couleur sombre jusqu'à la cimaise. Si les murs sous la cimaise sont plus clairs, la pièce aura l'air plus large.

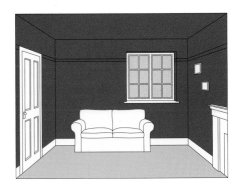

Dans une pièce où le plafond et les murs sont sombres, un sol clair diminue l'impression d'encombrement et de claustrophobie.

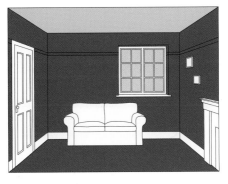

Une pièce basse de plafond gagnera en hauteur si le plafond est plus clair que les murs. Mais attention : des murs sombres rapetissent une pièce.

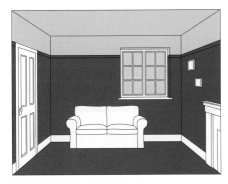

L'impression de hauteur obtenue par la couleur claire du plafond est atténuée si cette couleur descend jusqu'au niveau de la cimaise.

LA PATINE MÉTALLIQUE

OUTILLAGE

Pinceau
Chiffon

MATÉRIEL NÉCESSAIRE

Peinture métallisée
Vernis à craqueler
(deux composants :
couche d'apprêt et
couche de finition)
Terre d'ombre brûlée
(voir magasins de
fournitures pour artistes)
Vernis (facultatif)

La finition obtenue par l'application d'une peinture métallisée transforme complètement le moindre objet domestique : elle change à la fois sa couleur et sa texture. Cette transformation peut être renforcée en vieillissant artificiellement la peinture métallisée avec du vernis à craqueler pour donner à l'objet un aspect vieilli, voire antique.

On trouve facilement de la peinture métallisée, dont le résultat est de plus en plus réaliste quel que soit le matériau de base. Le choix est vaste entre différentes couleurs de « métaux » : tout est affaire de préférence personnelle. Ci-dessous, un récipient en terre cuite devient de l'étain. On aurait pu tout aussi bien choisir l'or, le laiton ou le cuivre, avec éventuellement un effet de craquelure pour le transformer, selon nos préférences, en objet de brocante, voire de musée.

1 Appliquez au pinceau une couche régulière de peinture métallisée sur la terre cuite. Suivez scrupuleusement les instructions du fabricant : ce type de peinture a un pouvoir couvrant élevé ; en général, une couche suffit.

2 Dès que la peinture métallisée est sèche, passez le premier composant du vernis à craqueler selon le mode d'emploi du fabricant. Veillez à ne pas faire de coulures. L'aspect laiteux disparaît au séchage : le résultat reste un peu collant, mais il est transparent.

3 Passez à présent la couche de finition du vernis, toujours au pinceau ; couvrez bien toute la surface. Le séchage de la dernière couche forme des craquelures d'autant plus profondes que la couche de finition est épaisse.

4 Pour renforcer l'effet de fendillement, frottez la surface du pot avec un chiffon imbibé d'un peu de terre d'ombre brûlée. Celle-ci se loge dans les anfractuosités créées par le vernis à craqueler, offrant l'aspect antique recherché. Si vous voulez, finissez par une couche de vernis transparent.

LA PATINE VERT-DE-GRIS

OUTILLAGE

Brosses pour pochoirs
Pinceau
Chiffon

MATÉRIEL NÉCESSAIRE

Peinture-émulsion
Patine à métaux
Colorants

Le vert-de-gris est une substance cristallisée qui se forme à la surface du cuivre, du laiton ou du bronze sous l'action d'un acide qui perce à la surface du métal.

Néanmoins, les nuances typiques de vert que présente le vert-de-gris peuvent être simulées sur toutes sortes de matériaux en leur donnant un aspect vieilli du plus heureux effet. Le résultat est particulièrement remarquable à l'intérieur d'une pièce, notamment sur des surfaces qui offrent un relief travaillé ou chargé, par exemple une corniche. Pour obtenir un bon effet de vert-de-gris, il faut appliquer deux ou trois nuances de vert, en mélangeant de la patine à métaux avec des colorants suivant le mode d'emploi du fabricant. Certaines marques livrent des kits complets, qui évitent le souci de faire ses propres mélanges. Les différentes teintes sont à appliquer l'une après l'autre.

1 Passez sur la corniche une couche d'apprêt et laissez sécher. Avec une grosse brosse pour pochoir, passez sur la corniche une couche du vert le plus pâle. Veillez à faire pénétrer les soies dans les moindres anfractuosités, sans badigeonner pour autant toute la surface.

2 Avant séchage complet, essuyez la surface de la corniche avec un chiffon légèrement humide : vous nettoierez ainsi les parties en relief, laissant la peinture dans les creux.

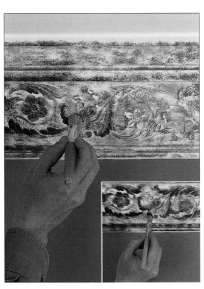

3 Passez à présent un vert beaucoup plus foncé avec la même brosse, non sans avoir nettoyé celle-ci ; insistez sur les parties en relief. Après séchage, appliquez enfin le vert le plus sombre avec une brosse plus petite. Laissez sécher.

4 En dernier lieu, diluez la peinture verte la plus foncée en ajoutant un peu de patine afin d'obtenir une couleur plus claire et une consistance plus transparente. Badigeonnez la totalité de la corniche avec cet enduit dilué. Cela contribuera à donner un effet vieilli tout en couvrant les recoins où l'on apercevrait encore la couleur de base.

PEINDRE DES MURS ET SOLS AU POCHOIR

OUTILLAGE

Papier
Crayon
Planche à découper
Acétate
Crayon gras
Cutter
Mètre ruban
Pochoir
Pinceau
Papier cache
Brosses pour pochoirs

MATÉRIEL NÉCESSAIRE

Peinture à pochoir
Peinture à émulsion
Vernis (facultatif)

Les motifs ethniques se prêtent toujours à merveille à la reproduction au pochoir, surtout quand de subtiles variations de couleurs offrent une gradation des effets sur les sols et les murs.

Le pochoir est une technique décorative qui permet d'ajouter couleurs et motifs sur toutes sortes de surfaces. La technique est d'ailleurs la même qu'il s'agisse de murs, de sols ou de meubles (voir pages 32-33). On trouve dans le commerce une foule de pochoirs tout prêts, néanmoins il est passionnant de réaliser soi-même ses propres pochoirs, ce qui ajoute bien évidemment une touche plus personnelle à votre décoration. Les pochoirs peuvent se fabriquer avec du carton mince ou des feuilles d'acétate : ces dernières sont plus durables et plus faciles à nettoyer.

CONFECTIONNER UN POCHOIR

1 Tracez les contours de votre pochoir sur un morceau de papier en définissant avec netteté le contour. Si vous n'avez pas la main sûre, contentez-vous de décalquer. Restez simple : ce sont souvent les motifs les moins compliqués qui se prêtent le mieux au pochoir.

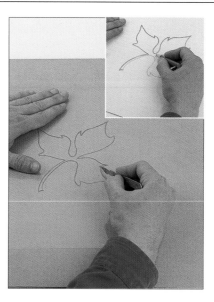

2 Transférez le motif sur la feuille d'acétate et servez-vous d'un crayon gras pour décalquer le dessin dessus. Placez l'acétate sur une planche à découper et découpez le contour au cutter en suivant soigneusement le dessin.

UTILISER UN POCHOIR

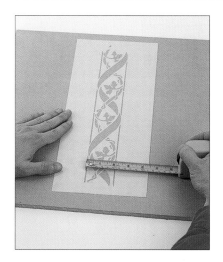

1 En commençant par un fond coloré, on renforce l'effet du dessin au pochoir. Dans notre exemple, la frise ainsi obtenue sert à définir le périmètre du sol de la pièce. Mesurez la largeur du pochoir pour placer celui-ci au bon endroit sur le plancher.

2 Tracez la bonne largeur sur le plancher et délimitez-la avec du papier cache : à l'aide d'une petite brosse, appliquez la peinture qui constituera le fond coloré. Veillez à ce qu'aucun coup de pinceau ne déborde à l'extérieur du papier cache.

3 Une fois le fond coloré peint, retirez le papier cache : si la peinture s'est infiltrée sous le papier cache, retirez-la au papier de verre afin que les limites du fond coloré soient nettes et précises.

4 Posez le pochoir sur le fond coloré et peignez avec une brosse pour pochoir modérément chargée en peinture, en appliquant de petites touches par une suite de mouvements verticaux ; la brosse doit rester en permanence perpendiculaire au plancher. Déplacez votre pochoir pour faire le tour de la pièce.

5 Le même dessin peut s'appliquer sur les murs. Mais, dans le cas illustré ici, on a confectionné un autre pochoir pour décorer les angles de la pièce. Si vous voulez donner davantage de relief à cette technique, appliquez plus de peinture sur les bords qu'au milieu.

6 Le deuxième motif, confectionné sur mesure, a été également utilisé sur le sol pour faire le lien entre les deux dessins. De temps en temps, rincez vos pochoirs à l'eau tiède pour enlever la peinture qui s'accumule. Une fois la peinture sèche, vous pouvez si vous le désirez la protéger par une couche de vernis.

PEINDRE UN MEUBLE AU POCHOIR

OUTILLAGE

Papier de verre
Chiffon
Pinceau
Pochoirs
Papier cache
Grosse brosse pour pochoir
Petite brosse pour pochoir
ou pinceau d'artiste

MATÉRIEL NÉCESSAIRE

Peinture-émulsion blanche
Glacis acrylique
Pigments
Peintures pour pochoir
Vernis

Le plus humble meuble, fût-ce une commode en contreplaqué, peut recevoir une décoration raffinée grâce à des pochoirs bien coordonnés.

Les pochoirs constituent un bon moyen pour donner du chic à des meubles tout simples. Les pochoirs eux-mêmes peuvent d'ailleurs être d'une grande complexité ; ils sont aussi utiles pour rénover un meuble ancien que pour cacher une surface usée. Dans l'exemple de cette page, on utilise la technique du pochoir pour personnaliser une commode sans grand attrait, afin de la rendre hautement décorative.

1 Poncez légèrement au papier de verre, puis passez un chiffon humide pour retirer la poussière de ponçage. Soignez particulièrement les surfaces qui vont être décorées au pochoir.

2 Ôtez les tiroirs. Passez sur la commode une couche d'apprêt blanc, puis peignez les tiroirs séparément. Si le bois est très résineux, choisissez l'apprêt en conséquence ; mais, en général, une simple peinture-émulsion constituera une sous-couche adaptée pour un glacis acrylique.

3 Mélangez deux glacis, en ajoutant des pigments si nécessaires. Dans notre exemple, le glacis acrylique a été teinté pour obtenir un vert clair et un bleu moyen. Passez une couche de vert clair à l'extérieur de la commode, en tirant bien vos coups de pinceau pour arriver à une finition translucide.

4 Passez une couche de vert clair sur les côtés et les chants de quatre tiroirs, et de bleu moyen sur les quatre autres. L'intérieur des tiroirs peut recevoir une couche de glacis ou rester nu.

5 Choisissez un pochoir pour l'ensemble de votre commode et commencez avec un tiroir. Posez-le face visible en l'air et collez le pochoir à sa place avec du papier cache.

6 Passez la peinture avec une grosse brosse pour pochoir sur les motifs les plus grands. Gardez toujours le manche perpendiculaire à la surface à peindre, et déposez la peinture par touches successives d'un mouvement vertical de haut en bas. Ne surchargez pas votre brosse de peinture.

7 Nettoyez la brosse régulièrement et évitez de baver d'une couleur sur l'autre. Pour les parties les plus fines, servez-vous d'une brosse pour pochoir plus petite ou du bout des soies d'un pinceau d'artiste.

8 Dès qu'un pochoir est fini, retirez-le avec précaution et continuez sur un autre tiroir ou une partie de la commode. Une fois que toute la peinture est sèche, protégez-la par une couche de vernis.

LE GLACIS

OUTILLAGE

Brosse large
Pinceau en martre ou
brosse en soies de porc

MATÉRIEL NÉCESSAIRE

Peinture-émulsion
Glacis acrylique
Pigments
Vernis (facultatif)

Le glacis est l'une des techniques les plus faciles à réaliser. Les traces des coups de pinceau créent un effet matière qui se combine avec la couleur de l'apprêt pour donner un effet à trois dimensions à demi transparent. L'intensité de l'effet dépend de la couleur de l'apprêt et du nombre de couches.

On obtient un excellent résultat en traitant les murs au glacis et les parties en bois en cérusé.

1 Passez une couche d'apprêt sur la surface du mur et laissez sécher. Ici, l'apprêt est bleu pâle. Appliquez une couche de glacis avec un pinceau large à soies dures. Donnez des coups de pinceau dans tous les sens.

2 Servez-vous d'un pinceau en martre ou d'une brosse en soies de porc pour estomper les coups de pinceau et répartir la couleur du glacis sur la surface du mur. Agissez avec le plus grand doigté ; les soies de la brosse doivent à peine effleurer le mur.

3 Une fois cette couche sèche, appliquez une seconde couche légèrement plus foncée et, de nouveau, estompez avec une brosse en soies de porc. Vous pouvez recommencer l'opération plusieurs fois, pour accentuer l'impression de profondeur et d'espace. Terminez avec une couche de vernis si vous le souhaitez.

CRÉER UNE AMBIANCE

Le glacis est une technique subtile, mais qui peut faire beaucoup pour donner de la chaleur à une pièce. Les murs ainsi traités constituent un cadre propice à bien des choses. Ici, un glacis de couleur brique vieillie a été appliqué sur des murs en plâtre non lissé, donnant l'illusion d'une cour méditerranéenne.

L'EFFET CÉRUSÉ

OUTILLAGE

Pinceau
Chiffon
Cire incolore
Pistolet
Crayon
Niveau à bulles

MATÉRIEL NÉCESSAIRE

Cire à céruser
Pigments
Colle

L'effet cérusé s'obtient par une technique analogue à celle du glacis, sauf qu'il suffit d'essuyer la surface dès qu'elle est peinte. Le résultat est analogue car la cire teintée fournit un effet général sans dessin particulier, mais qui met en valeur différents endroits au hasard. La technique peut également s'utiliser sur des murs, quoique le terme s'applique en général à des surfaces en bois. Elle consiste à peindre du bois nu, ce qui fait ressortir les veines naturelles, pour aboutir à un effet teinté hautement décoratif. Les meilleurs résultats s'obtiennent avec un bois possédant des veines très marquées, ce qui provoque des variations de couleurs plus tranchées. Inutile de commencer par une peinture-émulsion : il suffit de mélanger une cire à céruser de la couleur de votre choix avec un ou plusieurs pigments, puis de l'appliquer directement sur le bois.

1 Mélangez la cire à céruser avec un pigment de votre choix et passez directement une couche au pinceau sur le bois, de façon régulière. Ici, on peint un lambris d'appui. Appliquez de préférence la cire teintée avant de fixer la pièce de bois au mur : cela évitera de tacher celui-ci.

2 Avant séchage de la cire, essuyez le bois sur toute sa longueur avec un chiffon propre et sec. La cire à céruser pénètre dans le bois en faisant ressortir ses veines. Une fois la cire sèche, frottez le bois avec un chiffon imprégné de cire incolore : cela renforce l'effet décoratif et protège la peinture.

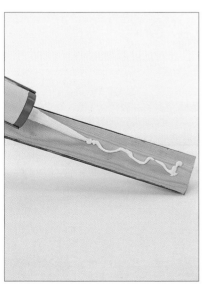

3 Au lieu de clouer le lambris d'appui sur le mur en abîmant la peinture, collez-le avec une colle appropriée, en général fournie en tube et appliquée avec un pistolet.

4 Appliquez le lambris d'appui contre le mur, le long d'une ligne tracée au crayon, en vous aidant d'un niveau à bulles. Appuyez bien pour étaler la colle, et essuyez soigneusement avec un chiffon humide l'excédent de colle qui ressort des deux côtés du lambris.

LE FAUX MARBRE

OUTILLAGE

Pinceaux
Brosse à lisser
Brosse en soies de porc
Pinceau d'artiste
Papier de verre fin

MATÉRIEL NÉCESSAIRE

Peinture-émulsion blanche
Glacis acrylique
Pigments
Colorant terre de Sienne
Vernis laqué

La pratique du faux marbre est un métier en soi, aussi difficile que la peinture artistique ; pour obtenir un effet authentique, il vous faut beaucoup de patience. Entraînez-vous sur un carton avant de vous attaquer à un mur.

L'avantage de cette technique, c'est qu'elle autorise toutes sortes

Le faux marbre crée dans une pièce une ambiance particulière qui change avec la nature et l'intensité des sources lumineuses.

d'expériences avec maintes couleurs et motifs. Entraînez-vous avec un nombre variable de teintes de différentes intensités ; changez l'angle et le tracé des rainures ; vous finirez par trouver le résultat qui convient à la pièce qu'il vous faut décorer.

Si vous êtes assez sûr de vos talents, vous pouvez essayer d'appliquer cette technique sur un pan de mur. Mais attention, il est très difficile d'obtenir le même effet sur toute la surface d'un mur : par conséquent, il est beaucoup plus simple de traiter des surfaces réduites, par exemple en dessous d'un lambris d'appui. De toute façon, un faux marbre bien réussi embellit une pièce de façon spectaculaire.

Il est souvent plus facile de travailler à deux : l'un se charge du glacis tandis que l'autre utilise les différents outils nécessaires à la technique du faux marbre ; afin d'obtenir des résultats homogènes, chacun se concentre sur sa propre tâche.

1 Passez d'abord une couche d'apprêt blanche, et laissez sécher. Ensuite, passez deux glacis différents avec une brosse de 25 mm de large. Donnez des coups de pinceau irréguliers mais toujours dans la même direction, sans couvrir toute la surface de l'apprêt.

2 Sans attendre le séchage, passez une brosse à lisser perpendiculairement aux coups de pinceau précédents afin de mêler les deux glacis acryliques. Couvrez ainsi les parties où ressortait l'apprêt de façon à obtenir une coloration irrégulière.

3 Avec une brosse en soies de porc, effleurez légèrement le mur pour effacer toute trace des coups de pinceau : faites un premier passage transversalement aux coups de pinceau, puis un deuxième passage perpendiculaire au premier.

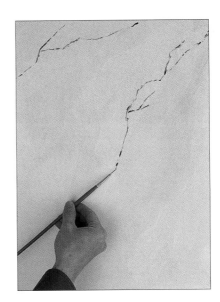

4 Avec un pinceau fin, appliquez les rainures terre de Sienne en roulant le manche du pinceau entre le pouce et l'index. Tâchez de tracer les veinures dans le même sens que l'application initiale du glacis.

5 De nouveau, estompez avec une brosse en soies de porc ; au premier passage, frottez perpendiculairement aux veinures puis, au second, passez le pinceau dans le même sens que les veinures.

6 Après séchage complet, poncez légèrement avec un papier de verre fin. Surtout, n'égratignez pas le mur. Ce ponçage a pour rôle de lisser la finition et de faire un peu de poussière sans modifier les couleurs.

7 Ne retirez pas la poussière avec un chiffon : au contraire, fixez-la au mur avec du vernis laqué. Laissez sécher, poncez encore et passez une autre couche. C'est cette succession de ponçages et de laquages qui fournit l'effet de marbre, atténuant les marbrures et fournissant une surface bien plane d'aspect très résistant.

TRUCS ET ASTUCES

● Le marbre est une pierre naturelle qu'il faut copier avec le plus de soin possible pour obtenir un effet authentique. La nature étant très difficile à imiter, aidez-vous d'une photo de bonne qualité ou d'un échantillon de marbre véritable.

● Il n'y a pas que les murs que l'on peut faire en faux marbre ; pensez aux tables basses, aux étagères, aux lampes, etc.

PEINDRE AU CHIFFON

OUTILLAGE
Gants
Pinceau
Seau à peinture
Chiffon en coton

Protection
Papier cache

MATÉRIEL NÉCESSAIRE
Peinture-émulsion
Glacis
Pigments

La structuration réalisée en tous sens ou de façon directionnelle comme ici change de façon spectaculaire le résultat obtenu avec une couche de peinture.

Avec des tissus et des chiffons, il est facile de donner un effet matière à la peinture d'un mur. Les deux principales techniques consistent à appliquer de la peinture sur un mur avec un chiffon, ou au contraire à l'en enlever. Une troisième méthode consiste à faire un rouleau de chiffons que l'on fait rouler sur le mur dans une direction donnée. Cette technique peut s'appliquer à une surface particulière, délimitée par du papier cache. On obtient alors un effet de rayures ruisselantes.

APPLICATION AU CHIFFON

1 Dès que l'on touche au chiffon, mieux vaut porter des gants sinon le nettoyage des mains est délicat. Placez d'abord une couche de peinture-émulsion et laissez sécher. Mélangez le glacis et les pigments. Trempez un chiffon roulé en boule dans le glacis. Pressez le chiffon pour enlever le glacis en excédent.

2 Tamponnez toute la surface du mur avec le chiffon roulé en boule dans la main. Après chaque coup de tampon, changez l'angle de la main et du poignet afin de ne pas faire de motifs répétitifs. Rechargez en glacis dès que cela est nécessaire.

TAMPONNÉ APRÈS PEINTURE

1 Appliquez d'abord une couche de peinture-émulsion et laissez sécher. Passez ensuite une couche de glacis sur le mur avec une brosse large, en recouvrant bien tout l'apprêt par unités de 1 m² environ – faute de quoi le glacis risquerait de sécher avant que vous n'ayez fini.

2 Avec un tissu humide chiffonné, tamponnez la surface encore humide. Après chaque coup de tampon, changez l'angle du poignet. Quand le chiffon est saturé, lavez-le soigneusement à l'eau claire et continuez sur l'ensemble de la surface déjà couverte de glacis.

STRUCTURATION PAR ROULAGE

1 Découpez quelques morceaux de tissu de 25 cm de côté et roulez-les en cylindre. Prenez soin de replier les extrémités vers l'intérieur, de façon à ne pas laisser traîner la partie effrangée.

2 Passez une couche de glacis comme dans l'étape 1 de TAMPONNÉ APRÈS PEINTURE. Mouillez le cylindre de tissu et faites-le rouler sur le mur suivant une trajectoire aussi verticale que possible ; à chaque trajet de haut en bas, veillez à assurer un certain recouvrement avec la partie déjà traitée.

SURFACES MASQUÉES

1 Avec du papier cache, isolez une bande verticale du mur ; passez une couche de glacis entre les deux bandes de papier, puis roulez un tissu sur la partie peinte en veillant à ne pas baver à l'extérieur.

2 Une fois la structuration terminée, ôtez le papier cache des deux côtés pour révéler la bande de motifs. Passez aux surfaces suivantes.

LES EFFETS DE PATINE

OUTILLAGE
Pinceau
Spalters
Chiffon

MATÉRIEL NÉCESSAIRE
Glacis acrylique
Pigments
Vernis ou cire teintée

L'effet de patine est une technique subtile et délicate, où l'on retravaille la surface du mur pour un rendu plus structuré que celui obtenu avec une simple couche de peinture. Comme dans la plupart des techniques, on se sert du glacis pour la finition, de sorte que la texture patinée soit légèrement translucide. Appliquer l'effet de patine n'est pas très difficile, mais il faut beaucoup de patience pour se servir du spalter sur toute la surface d'un mur : si l'on oublie un seul endroit, cela se verra et l'effet général en sera irrémédiablement gâché.

L'effet de patine peut s'appliquer sur une seule couleur ou, comme dans le cas illustré ici, deux couleurs dont la limite floue présente un effet décoratif inhabituel. Il peut également s'appliquer pour créer des rainures dessinées au hasard à la surface du mur, ou encore aux bords ou aux coins de la pièce afin de leur donner une teinte légèrement différente des parties centrales de la pièce.

L'effet de patine des murs fournit un fond velouté et chaleureux à l'ensemble de la palette décorative de la pièce.

1 Appliquez une couche de glacis en recouvrant bien l'ensemble de la surface du mur. On peut laisser les coups de pinceau dans tous les sens ou, une fois le travail terminé, repasser au pinceau sec pour que toutes les traces se retrouvent dans la même direction verticale.

2 Avec un gros spalter, tamponnez toute la surface en faisant en sorte que l'extrémité des soies appuie sur l'enduit encore humide. Après chaque coup de spalter, déplacez la brosse à un nouvel endroit en changeant légèrement l'angle du poignet de façon à ne pas toujours appliquer les soies de la même façon.

3 Essuyez de temps en temps le spalter avec un chiffon, faute de quoi les soies vont se charger de plus en plus en peinture et le travail perdra irrémédiablement de sa netteté.

4 Si vous vous servez de deux couleurs, passez la seconde après avoir fini de patiner la première. Laissez une bande d'apprêt visible entre les deux couleurs.

5 Appliquez l'effet de patine de la même façon que pour la première couleur. Si vous gardez la même brosse, nettoyez-la très soigneusement avant de commencer car les couleurs se mélangeraient, ce qui gâcherait tout l'effet.

6 Au raccord entre les deux couleurs, servez-vous du spalter pour estomper. La réussite de l'opération dépend de la quantité de glacis que vous avez déposée sur le mur et de la largeur de la bande blanche que vous avez laissée, montrant l'apprêt entre les deux glacis.

7 Dans les angles, utilisez un spalter plus petit, justement prévu à cet effet. Une fois vos effets de patine terminés, laissez sécher entièrement avant de passer deux couches de vernis ou une couche de cire protectrice.

TRUCS ET ASTUCES

● Pour appliquer la technique de la patine, travaillez par surface de 1 m² ; si vous dépassez cette surface, l'enduit risque de sécher avant que vous n'ayez fini.

● Utilisez une peinture satinée comme apprêt. Le glacis sèche moins vite sur ce type de surface que sur une peinture mate : cela vous laisse davantage de temps.

● Créez une impression de profondeur en appliquant plusieurs couches de patine. Si la deuxième couche est plus foncée que la première, cela donnera plus de relief.

LES DÉCOUPAGES

OUTILLAGE

Carton mince
Crayon
Planche à découper
Cutter
Règle
Niveau à bulles
Chiffon

MATÉRIEL NÉCESSAIRE

Partition musicale
photocopiée
Colle en bombe

Le thème musical de ce découpage donne un effet décoratif encadré sur un mur uni.

La technique du découpage – ou collage – consiste à coller sur les murs, les meubles ou d'autres objets décoratifs (vases, boîtes à bijoux, sets de table) des images découpées en papier. Pour la matière première, on a l'embarras du choix : chutes de papier peint, photocopies de vos photos préférées, copies de textes manuscrits anciens, etc. Dans l'exemple illustré sur cette page, on a commencé par faire une photocopie de partition musicale, et on l'a évidée au centre pour y découper une note de musique géante ; celle-ci a ensuite été collée sur une surface blanche, encadrée par la photocopie en noir et blanc de la partition musicale. L'ensemble aurait pu être collé directement sur le mur. À la place du thème de la musique, on peut imaginer une foule d'autres idées de décoration. Dans la cuisine par exemple, on peut retenir le thème des fruits et légumes, dans la salle de bains celui des poissons et des coquillages.

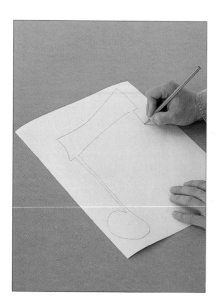

1 Dessinez au crayon une note de musique sur un morceau de carton mince. Si vous n'avez pas le geste assez sûr pour le faire à main levée, photocopiez une vraie note de musique imprimée et agrandissez-la à la taille voulue.

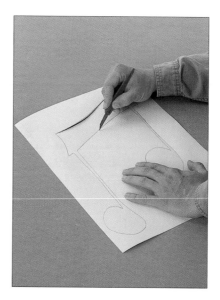

2 Sur une planche à découper, découpez les bords de votre note avec un cutter bien affûté ou un scalpel. Attention aux accidents ! Comme on dit dans les ateliers de mécanique : pas de viande devant l'outil...

3 Placez au centre de votre photocopie la note que vous avez découpée, en tâchant de l'aligner avec le reste du dessin. Tracez au crayon un cadre autour de la note, et découpez-le au cutter. Retirez le centre de la partition photocopiée, ne laissez que le cadre extérieur.

4 Remettez à sa place la note en carton que vous avez découpée. Suivez-en le tracé avec le cutter de façon à prélever le morceau correspondant de la photocopie.

5 Choisissez l'endroit du mur où vous voulez appliquer votre découpage. Avec un crayon et un niveau à bulles, tracez sur le mur une ligne horizontale de la largeur de la photocopie à l'endroit où le bas doit arriver.

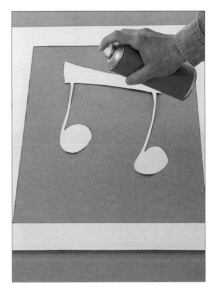

6 Avec une bombe de colle, enduisez l'arrière des parties utilisées de la photocopie, c'est-à-dire le cadre et la note. Conformément aux instructions du fabricant, laissez la colle sécher quelques instants.

7 Dès que la colle est prête, collez le cadre au mur en partant de la ligne tracée au crayon. Posez ensuite la note de musique. Avec un chiffon légèrement humide, tamponnez les parties collées pour en chasser les bulles d'air.

TRUCS ET ASTUCES

● Si vous n'avez pas de colle en bombe, utilisez de la colle ordinaire à papier peint ou du polyacétate de vinyle dilué. Ce dernier est souvent plus facile à manipuler par les débutants, car il sèche plus lentement que la colle en bombe : cela vous laisse le loisir de déplacer un peu les objets collés avant qu'ils ne s'immobilisent définitivement.

● Une fois que tout est sec, vous pouvez protéger le découpage par quelques couches de vernis transparent.

LE PAPIER PEINT : TECHNIQUES ET OUTILS

LE PAPIER PEINT : PRÉPARATION

DIFFICULTÉ : faible
DURÉE : une demi-journée par pièce en moyenne
OUTILS SPÉCIAUX : aucun
VOIR PAGES 46 à 47

La préparation est tout aussi importante avant de poser du papier peint qu'avant de peindre. En principe, il faut commencer par retirer les couches précédentes de papier peint. Puis on rebouche les trous du mur, on ponce et on passe une couche d'enduit avant de poser d'abord le papier de doublage, puis le papier peint. Mesurez soigneusement la pièce et décidez après mûre réflexion de l'endroit par lequel vous voulez commencer.

TAPISSER UNE PIÈCE

DIFFICULTÉ : faible à moyenne
DURÉE : un jour en moyenne
OUTILS SPÉCIAUX : brosse à encoller, table à tapisser, brosse

à maroufler
VOIR PAGES 48 à 49

Que le papier soit préencollé ou non, la technique de pose est la même. On commence le long d'une ligne parfaitement verticale et l'on pose chaque lé bord à bord, en coupant l'excédent au niveau du plafond et de la plinthe avec un cutter ; veillez à vous munir de lames de rechange, elles s'émoussent facilement.

LES PANNEAUX TAPISSÉS

DIFFICULTÉ : faible à moyenne
DURÉE : deux heures
OUTILS SPÉCIAUX : règle métallique, brosse à encoller, brosse à maroufler
VOIR PAGES 50 à 51

Les panneaux de papier peint (surtout entourés d'un galon) sont une excellente façon de décorer un mur. Encore faut-il que les motifs s'accordent et que la pose soit impeccable. Réfléchissez bien à la taille du panneau par

rapport à la surface du mur. Veillez à choisir un papier peint et un galon convenant à cette technique et soignez bien l'assemblage à onglet du galon à chaque angle.

LES BORDURES ET FRISES

DIFFICULTÉ : faible à moyenne
DURÉE : deux heures en moyenne
OUTILS SPÉCIAUX : brosse à encoller, brosse à maroufler
VOIR PAGES 52 à 53

Les bordures et frises peuvent se poser à n'importe quelle hauteur sur le mur, par exemple au niveau de la barre d'appui ou de la cimaise. Encore faut-il qu'elles soient parfaitement horizontales ou verticales, et que leurs motifs mis côte à côte n'apportent pas de notes discordantes dans votre ensemble décoratif. Prenez conseil auprès de votre vendeur : certaines frises sont autocollantes, d'autres demandent à être encollées. Pour ces dernières, servez-

vous de colle à galon. Si vous vous contentez d'utiliser de la colle ordinaire à papier peint, vous risquez un décollement rapide, surtout aux angles. La colle à galon est beaucoup plus forte et crée un lien beaucoup plus puissant entre la frise et le mur. Veillez à éviter l'erreur courante qui consiste à laisser des bavures de colle. Celles-ci sèchent très vite ; ayez à portée de main un seau d'eau propre et tiède, et une éponge. Dès que vous avez posé une frise, essuyez pour retirer l'excédent de colle, en insistant particulièrement sur les bords. Si vous laissez la colle sécher sur le mur, elle est pratiquement impossible à retirer et forme des traces brillantes qui gâtent l'effet général. Si malgré tout un peu de colle a séché avant que vous ne la retiriez, frottez la tache avec un détergent doux dilué, puis rincez avec de l'eau propre et tiède. Si de la colle a séché sur la peinture, vous pouvez peut-être repasser une couche de peinture, mais attention aux coulures.

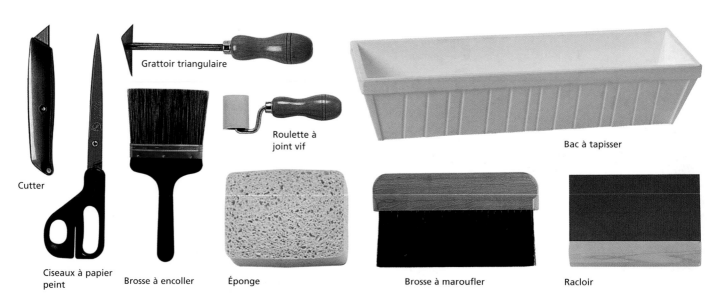

Cutter

Grattoir triangulaire

Roulette à joint vif

Bac à tapisser

Ciseaux à papier peint

Brosse à encoller

Éponge

Brosse à maroufler

Racloir

LES REVÊTEMENTS : TECHNIQUES ET OUTILS

CARRELER UN MUR

DIFFICULTÉ : faible à moyenne
DURÉE : deux à quatre heures par mur en moyenne
OUTILS SPÉCIAUX : spatule crantée, carrelette, raclette à barbotine, lisseur de joints
VOIR PAGES 54 à 55

Carreler un mur est simple dès lors que l'on part d'une ligne de départ fixe et horizontale. En général, il faut pour cela poser des lattes en bois. Organisez-vous avec soin et faites des coupes précises. Un jointoiement soigné couronnera le tout.

CHOISIR DES MOTIFS ET DESSINS

DIFFICULTÉ : faible à moyenne
DURÉE : deux heures par mur en moyenne
OUTILS SPÉCIAUX : spatule crantée, carrelette, raclette à barbotine, niveau à bulles
VOIR PAGES 56 à 57

Les techniques de base du carrelage peuvent s'adapter à différentes tailles de carreaux et à différents dessins pour produire des effets inhabituels. Commencez par poser les carreaux à sec avant de les fixer au mur.

POSER UN REVÊTEMENT MURAL

DIFFICULTÉ : faible à moyenne
DURÉE : deux heures
OUTILS SPÉCIAUX : spatule crantée, carrelette, raclette à barbotine
VOIR PAGES 58 à 59

Les parties humides d'un mur, par exemple au-dessus d'un lavabo, sont presque toujours carrelées : une occasion de plus de décorer ! Le travail aura un aspect mieux fini si les carreaux du bord sont d'une couleur différente. Ajoutez toujours un joint étanche avec de la pâte à joint pour étanchéifier l'angle entre le lavabo et le rang inférieur de carreaux. Délimitez le joint avec du papier cache avant de poser votre cordon de silicone.

LES CARREAUX DE MOSAÏQUE

DIFFICULTÉ : faible à moyenne
DURÉE : une demi-journée par pièce en moyenne
OUTILS SPÉCIAUX : spatule crantée, mini-rouleau, raclette à barbotine
VOIR PAGES 60 à 61

Les mosaïques collées sur des bandes de papier ont tous les avantages pratiques d'un carrelage ordinaire, mais l'esthétique est différente. Les carreaux sont montés sur un support papier : quand on utilise la feuille entière, la pose est relativement rapide. On peut également s'en servir dans des endroits trop petits pour des carreaux normaux. On peut rapprocher des feuilles de différentes couleurs pour créer un effet. Un mini-rouleau est utile pour fixer la mosaïque au mur.

UNE TABLE EN MOSAÏQUE

DIFFICULTÉ : moyenne à faible
DURÉE : une demi-journée à un jour

OUTILS SPÉCIAUX : carrelette, raclette à barbotine
VOIR PAGES 62 à 63

Une vieille table retrouve sa jeunesse quand on colle une mosaïque sur son plateau. Donnez libre cours à votre créativité. La rondeur de la table donnée en exemple pages 62 et 63 ne doit pas vous empêcher de vous lancer dans d'autres formes, d'autres tailles. Les tables carrées ou rectangulaires sont souvent plus faciles à carreler car on n'a pas besoin d'y tracer de cercles. De vieux morceaux de carrelage peuvent servir de matière première pour créer des mosaïques. Il suffit pour cela de les découper à la carrelette en morceaux de taille appropriée. Faites un plan d'ensemble de votre dessin avant de poser les morceaux. Comme pour tout projet de carrelage, le jointoiement est nécessaire pour assurer l'étanchéité de la surface. Vous pourrez donner un effet particulier avec de la barbotine de couleur, en vente dans les magasins de bricolage.

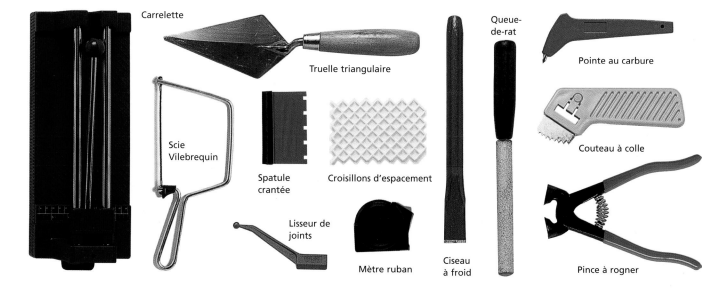

Carrelette

Truelle triangulaire

Queue-de-rat

Pointe au carbure

Scie Vilebrequin

Spatule crantée

Croisillons d'espacement

Couteau à colle

Lisseur de joints

Mètre ruban

Ciseau à froid

Pince à rogner

LE PAPIER PEINT : PRÉPARATION

OUTILLAGE

Grattoir ou couteau
à enduire
Papier de verre moyen
Brosse large ou brosse
à encoller
Mètre ruban

MATÉRIEL NÉCESSAIRE

Colle (polyacétate
de vinyle)
Seau d'eau chaude

Dans un projet de pose de papier peint, la préparation et la méthode ont la même importance que dans les autres projets de décoration. N'oubliez pas : le papier se colle sur une surface stable et bien préparée, sinon il se décolle et cela ne passera pas inaperçu. La plupart des échecs sont dus au fait que l'on superpose un nouveau papier peint à d'anciennes couches de papier peint : cela peut parfois donner de bons résultats mais, en général, ce n'est qu'une fois la nouvelle couche posée que l'on se rend compte du désastre ! Mieux vaut donc remettre le mur à nu avec une décolleuse à vapeur ou avec des produits de détrempe traditionnels illustrés ci-dessous, aussi efficaces à condition qu'il n'y ait pas plus de deux couches à enlever. Une fois le mur à nu et éventuellement ragréé, il faut mesurer la pièce pour savoir le nombre de rouleaux nécessaires et décider de l'endroit par où l'on commencera.

1 Dans bien des cas, la couche superficielle de vieux papier peint se décolle facilement en tirant en diagonale un angle inférieur. Une bonne partie du papier peut s'arracher ainsi, à sec.

2 Vient alors le moment de détremper à l'eau très chaude le papier resté accroché, l'eau froide est beaucoup moins efficace. Pour les ratés, utilisez un grattoir ou un couteau à enduire.

3 Une fois tout le papier enlevé, laissez sécher le mur complètement. Poncez afin d'ôter le moindre lambeau et d'égaliser les zones rugueuses.

4 Lessivez le mur, laissez sécher et passez une couche de solution de polyacétate de vinyle (une part de colle pour cinq parts d'eau). Ce traitement bouchera les pores et garantira l'adhérence du papier d'apprêt (si celui-ci est conseillé) ou directement du papier peint.

PRISE DES MESURES ET CHOIX DU POINT DE DÉPART

Avant de commencer la pose, il vous faut une idée précise du nombre de rouleaux à acheter. L'illustration ci-dessous explique comment calculer vos besoins. Certains papiers peints sont chers, il faut donc être relativement précis. Cependant, mieux vaut avoir un rouleau de trop que le contraire. Si vous devez plus tard racheter le rouleau qui vous manque, vous risquez de ne plus trouver le même lot, ce qui provoquera une légère différence de couleur sur votre mur. En revanche, si vous avez des restes, vous pourrez faire face sans inquiétude à de menues réparations. Quant à savoir par où commencer, les règles sont simples : suivez les conseils ci-dessous.

TRUCS ET ASTUCES

● Si vous posez du papier d'apprêt sur vos murs avant le papier peint, la technique des mesures est la même. Toutefois, il est inutile de prévoir des longueurs supplémentaires pour raccorder les motifs. Laissez juste quelques centimètres à droite et à gauche : le papier d'apprêt se pose comme le papier peint, mais par lés horizontaux.

● L'aspect définitif de votre papier peint dépend de la qualité de votre papier d'apprêt ; plus celui-ci est épais, meilleur est le résultat.

➡ Prise des mesures

Mesurez le périmètre de la pièce, et multipliez-le par la hauteur que doit couvrir le papier peint. Vous obtenez la surface totale des murs. Divisez ce chiffre par la surface du rouleau que vous allez utiliser : le résultat donne le nombre de rouleaux.

Les papiers à gros motifs exigent pour les raccords davantage de chutes que ceux à petits motifs. Si votre papier a de gros motifs, ajoutez à la hauteur de la pièce la distance de motif à motif avant de calculer votre surface. Incluez portes et fenêtres dans vos calculs : cela vous laissera un excédent pour les indispensables chutes.

➡ Choix de la ligne de départ

Le premier lé doit être posé parfaitement vertical, à un endroit où nul obstacle n'exige de le recouper. Dans une pièce relativement cubique et sans obstacles, commencez près d'un angle. Continuez la pose en faisant le tour de la pièce, pour finir avec l'angle. Là, vous pouvez effectuer un léger recouvrement de deux lés. Si la pièce possède un élément principal, par exemple une cheminée, et que votre papier peint a de gros motifs, mieux vaut commencer à tapisser au milieu du manteau de la cheminée afin que le motif du papier peint soit bien centré, ce qui donnera une impression d'équilibre à toute la pièce.

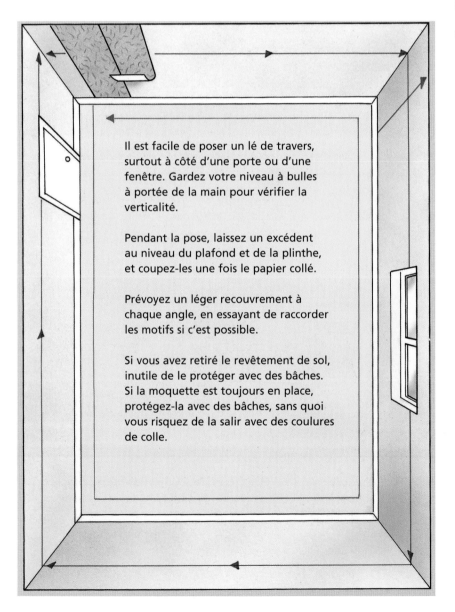

Il est facile de poser un lé de travers, surtout à côté d'une porte ou d'une fenêtre. Gardez votre niveau à bulles à portée de la main pour vérifier la verticalité.

Pendant la pose, laissez un excédent au niveau du plafond et de la plinthe, et coupez-les une fois le papier collé.

Prévoyez un léger recouvrement à chaque angle, en essayant de raccorder les motifs si c'est possible.

Si vous avez retiré le revêtement de sol, inutile de le protéger avec des bâches. Si la moquette est toujours en place, protégez-la avec des bâches, sans quoi vous risquez de la salir avec des coulures de colle.

TAPISSER UNE PIÈCE

OUTILLAGE

Pour l'encollage :
Table à encoller
Brosse à encoller

Pour du papier préencollé :
Bac à tapisser

Pour la pose :
Crayon
Mètre ruban
Niveau à bulles
Brosse à maroufler
Cutter ou ciseaux à papier peint
Éponge

MATÉRIEL NÉCESSAIRE

Papier peint
Colle

VOIR AUSSI

Le papier peint : préparation, pages 46 à 47
Les bordures et frises, pages 52 à 53

Le papier peint est une forme de décoration très appréciée : c'est un moyen facile d'ajouter couleur et gaieté à des murs tristes et ternes.

La pose de papier peint est une technique de décoration simple, à condition bien sûr d'être méthodique et de bien s'organiser (voir pages 46 à 47). Prenez bien soin de lire attentivement le mode d'emploi fourni par le fabricant. Dans la plupart des cas, il suffit de le suivre ; celui-ci précise quelle colle choisir, quelles précautions particulières prendre avec ce type de papier.

Le fabricant précise également s'il est indispensable de poser un papier d'apprêt et comment procéder. Dans le doute, posez le papier d'apprêt de la même façon que le papier peint mais par lés horizontaux.

ENCOLLAGE

Certains papiers doivent être encollés ; préparez la quantité de colle nécessaire pour le poids de papier à poser. Découpez le papier peint à la bonne longueur avec des ciseaux adaptés, puis badigeonnez de colle avec une brosse à encoller en partant du centre et en tirant vers les bords. Appliquez une couche régulière.

PAPIER PRÉENCOLLÉ

Le papier préencollé n'a pas besoin de colle supplémentaire ; il suffit d'avoir un bac à tapisser plein d'eau froide. Roulez la longueur de papier prédécoupée et immergez-la avant de la tirer pour l'allonger sur la table à encoller. L'eau imprègne la colle sèche déposée au dos du papier peint.

POSE

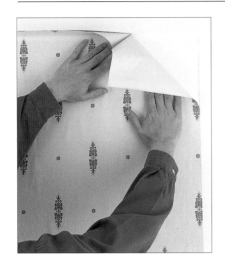

1 La méthode de pose est la même pour tous les papiers. Tracez d'abord au crayon (voir pages 46 à 47) une ligne parfaitement verticale pour la pose du premier lé, laissez un léger excédent au plafond.

2 Marouflez à la brosse jusqu'à l'angle avec le plafond : enfoncez bien les soies de la brosse pour marquer le pli ; la découpe en sera facilitée.

3 Une fois le haut du lé en place, procédez vers le bas et marouflez tout le lé de façon à éliminer les bulles d'air prises sous le papier. Poussez-les à partir du milieu et chassez-les par les côtés.

4 Une fois le lé en place jusqu'en bas – en général au niveau de la plinthe – coupez l'excédent avec un cutter ou une paire de ciseaux à papier peint le long de la pliure du plafond. Coupez enfin ce qui dépasse au niveau de la plinthe.

5 Posez les lés suivants en veillant à bien ajuster les motifs, grâce à la brosse à maroufler. Éliminez l'excédent de colle avec une éponge propre et humide.

TRUCS ET ASTUCES

Pour couper la bonne hauteur de papier peint, il faut tenir compte de l'espacement des motifs dont dépend la chute du fait des raccords. La plupart des fabricants précisent sur l'emballage l'intervalle de répétition des motifs, mais mieux vaut le mesurer par vous-même pour plus d'exactitude. Lorsque vous coupez un lé, ajoutez la distance séparant deux motifs : ainsi, vous pourrez ajuster en hauteur, votre lé en face du précédent. Attention aux motifs décalés en diagonale : il faut parfois ajouter deux fois la longueur pour faire un raccord !

LES PANNEAUX TAPISSÉS

OUTILLAGE

Mètre ruban
Règle et crayon
Cutter
Planche à découper
Niveau à bulles
Brosse à encoller
Brosse à maroufler
Éponge

MATÉRIEL NÉCESSAIRE

Papier peint et frise
Colle

Un panneau de papier peint possède des qualités décoratives propres et peut servir de cadre à d'autres éléments de décoration, comme un tableau ou un miroir.

Pour décorer un mur, quelques longueurs de papier peint bien placées peuvent faire merveille. La technique est relativement simple, mais la préparation doit être méticuleuse pour obtenir une symétrie parfaite. Naturellement, si vous envisagez de poser une frise, vous devez la choisir en harmonie avec le papier peint. Certains fabricants fournissent des assortiments tout prêts, mais tous ne conviennent pas à la pose de panneaux. La frise – ou bordure – doit être taillée en biais à chaque angle : encore faut-il que son dessin s'y prête, ce qui, bien souvent, n'est pas le cas des frises offrant un dessin géométrique (par exemple certaines frises grecques) qui ne peuvent pas se couper en biais n'importe où. Mieux vaut opter pour un motif en volutes moins précis, qui n'a rien à craindre d'une découpe à 45°. Il en est de même des motifs floraux chargés, dont les raccords passent pratiquement inaperçus. Dans la plupart des cas, vous aurez à juxtaposer plusieurs lés de papier peint : attention aux raccords – sauf pour les panneaux si petits qu'un lé suffit. Découpez les lés à l'avance et posez-les sur le mur sans les coller : vous pourrez ainsi vérifier que vous avez prévu la bonne longueur et que les motifs se répètent harmonieusement sur toute la surface du panneau. En procédant ainsi, vous obtiendrez le résultat espéré.

1 Découpez les lés de papier peint pour couvrir une surface légèrement supérieure à celle du panneau. Posez-les l'un contre l'autre à sec sur une table ou autre surface plane. Placez la bordure ou le galon de façon à délimiter exactement la taille du panneau, puis tracez-en les limites à la règle et au crayon.

2 Posez un lé sur la planche à découper afin d'éviter d'endommager la surface au moment de la coupe. Faites la découpe avec une règle et un cutter le long de la ligne tracée au crayon. Répétez l'opération avec chaque lé.

3 Avec un niveau à bulles, un crayon et un mètre ruban, tracez une ligne pour marquer sur le mur le bas du panneau. Répétez l'opération pour chaque panneau.

4 Encollez le papier peint, posez-le et marouflez. Vérifiez que le bord inférieur du lé coïncide exactement avec la ligne tracée au crayon. Veillez à bien joindre les lés, laissez sécher.

5 Posez la frise du haut en l'alignant sur l'extrémité supérieure des lés de papier peint. Laissez déborder un petit excédent à droite et à gauche.

6 Posez la première frise verticale par-dessus le haut de la frise horizontale, en ajustant autant que possible les motifs là où ils se couperont à 45 °. Placez la règle métallique à l'endroit précis du joint et découpez les deux épaisseurs d'un seul coup de cutter.

7 Ôtez soigneusement les deux morceaux à retirer, jetez-les et lissez bien le joint entre les deux frises.

8 Essuyez soigneusement l'excédent de colle avec une éponge humide. Recommencez à chaque angle.

LES BORDURES ET FRISES

OUTILLAGE

Ciseaux
Brosse à encoller ou gros
pinceau
Table à encoller
Éponge
Pour la pose :
Crayon
Niveau à bulles
Brosse à maroufler
Éponge

MATÉRIEL NÉCESSAIRE

Bordures et frises
Pour encoller les bordures :
Colle à papier peint

VOIR AUSSI

Le papier peint :
préparation,
pages 46 à 47

Les frises conviennent à merveille pour séparer deux parties de mur tapissées de papiers peints différents.

Les bordures et frises sont des bandes de papier décoratif qui embellissent les murs d'une pièce, que ceux-ci soient peints ou tapissés. Une bordure constitue un moyen facile et rapide pour diviser une grande surface et la rendre moins monotone. On trouve dans le commerce des bordures adhésives, d'autres qu'il faut encoller comme du papier peint et d'autres encore préencollées, qu'il suffit de tremper dans l'eau pour humecter la colle dont l'envers est imbibé. Au moment de l'achat, vérifiez à quelle catégorie votre bordure appartient.

On peut appliquer une bordure sur un mur à n'importe quelle hauteur, du ras du plafond à celui du plancher en passant par tous les niveaux intermédiaires. Encore faut-il respecter une horizontalité parfaite : pour cela, tracez une ligne au crayon. Vérifiez également qu'il n'y a ni tortillons ni plis, qui nuiraient à la beauté du résultat.

BORDURE ADHÉSIVE

Retirez le papier de protection au dos, et appliquez la bordure directement sur le mur. Tâchez de bien la positionner du premier coup car, une fois la bordure posée, il n'est pas facile de la déplacer.

TRUCS ET ASTUCES

● La colle à papier peint sèche vite : effectuez la pose mur par mur, et ne tentez pas de faire le tour de la pièce d'un coup.

● Ne posez jamais une bordure sur un papier peint encore humide.

● Les papiers peints présentent souvent des motifs symétriques que l'on peut utiliser comme repères pour poser une bordure.

● Appuyez sur les angles pour bien les coller, sinon ils auront tendance à rebiquer.

● Prévoyez un léger excédent afin de réaliser un joint invisible.

ENCOLLAGE D'UNE BORDURE

1 Les bordures à
encoller doivent
d'abord être coupées
à la bonne longueur
(voir trucs et astuces).
Encollez le dos avec
de la colle à papier
peint : passez une
couche bien uniforme.
Évitez de baver sur la
table, cela gâterait
l'endroit des lés
suivants.

2 Pour faciliter le
transport du lé,
pliez la bordure en
accordéon. Dès que
vous avez retiré la
bordure de la table à
encoller, nettoyez celle-
ci avec une éponge
humide. Laissez sécher
la table avant d'encoller
la bordure suivante.

POSE DE LA BORDURE

1 Tracez une ligne
au crayon sur tout
le périmètre de la pièce.
Posez la bordure sur
un mur à la fois, en
laissant un excédent
à chaque angle.
Marouflez
soigneusement pour
chasser les bulles d'air.

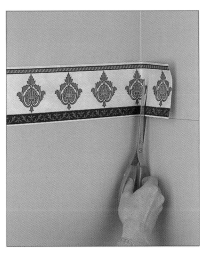

2 Découpez
l'excédent à
l'angle et marouflez
soigneusement le
coin avec la pointe
des soies de la brosse.

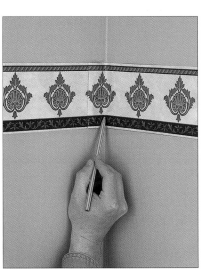

3 Posez la bordure
suivante avec un
léger recouvrement,
en respectant
méticuleusement la
continuité du motif.
Appuyez bien la
nouvelle bordure
dans l'angle avec la
pointe d'un crayon,
coupez au cutter en
suivant le trait de
crayon et ôtez le
morceau découpé.

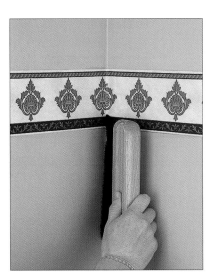

4 Massez en douceur
avec la brosse à
maroufler : le joint doit
être invisible. Continuez
à poser la bordure en
nettoyant au fur et à
mesure l'excédent de
colle avec une éponge
humide.

CARRELER UN MUR

OUTILLAGE

Croisillons d'espacement
Lattes de bois
Crayon
Mètre ruban
Perceuse, tournevis
et forets
Niveau à bulles
Spatule crantée
Crayon gras
Pointe au carbure
Carrelette
Raclette à barbotine
Éponge
Lisseur de joints ou petite
cheville en bois
Chiffon

MATÉRIEL NÉCESSAIRE

Carrelage
Vis ou clous
Mortier-colle
Produit de jointoiement

VOIR AUSSI

Choisir des motifs
et dessins, pages 56 à 57

Il existe tellement de modèles de carrelage que l'on en trouve pour tous les styles.

Les carrelages conviennent particulièrement aux murs des cuisines et salles de bains : faciles à nettoyer et à essuyer, ils résistent mieux à l'humidité et aux salissures que la peinture et le papier peint.

La pose de carrelage est une tâche aisée à condition que la surface soit soigneusement préparée. Le mur doit être parfaitement plan et stable, et les trous colmatés. Pour stabiliser un mur, passez une couche de polyacétate de vinyle (une part de colle pour cinq parts d'eau). Ce traitement est indispensable sur du plâtre neuf : sans lui, le mortier-colle sera difficile à étaler car le plâtre aura tendance à le boire rapidement.

La découpe des carreaux est l'opération la plus délicate : il faut prendre les mesures avec soin et se servir d'une carrelette d'une bonne qualité. Ces deux conditions réunies, aucune raison de ne pas avoir un bon résultat final. Pour les découpes curvilignes (par exemple autour d'un tuyau), il faut se servir d'une scie Vilebrequin. C'est un outil conçu expressément pour cet usage, et qui rend la tâche évidente. En cours de travail, n'hésitez pas à nettoyer vos outils. Ne laissez pas durcir l'excédent de mortier-colle sur la surface visible des carreaux.

1 Commencez par poser les carreaux à sec le long d'une latte de bois, avec des croisillons séparateurs. Notez la position des joints pour qu'elle vous serve ensuite de gabarit. En la présentant devant le mur, choisissez la position de départ pour vos carreaux ; évitez d'avoir moins d'un demi-carreau en bout de rangée.

2 Mettez des lattes en place pour guider la pose des carreaux entiers. Percez des avant-trous et posez des vis provisoires afin de fixer les lattes au mur. La latte horizontale est la plus importante : elle garantit l'horizontalité de la première rangée ; la latte verticale aide à conserver l'alignement.

3 Avec une spatule crantée, enduisez le mur de mortier-colle en partant d'un angle inférieur. Le rebord en dents de scie de l'outil garantit l'homogénéité de la couche. Encollez 1 m² à la fois, pas davantage sinon le mortier-colle sécherait avant la pose des carreaux.

4 Posez les carreaux en suivant la latte inférieure. Placez les croisillons d'espacement afin d'assurer le parallélisme des carreaux. Posez d'abord la rangée du bas, puis les rangées suivantes.

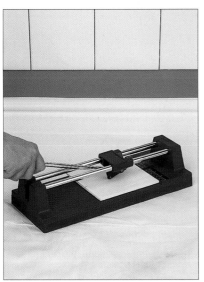

5 Une fois les carreaux en place, laissez sécher 24 heures puis retirez les lattes ; découpez et posez les morceaux de carreau manquants. Mesurez-les, marquez-les au crayon gras, puis griffez-les avec la pointe au carbure et coupez-les avec la carrelette. Enduisez chaque carreau de mortier-colle avant de le poser.

6 Une fois tous les morceaux en place, laissez sécher 24 heures. Préparez le produit de jointoiement et faites-le pénétrer dans les joints avec une raclette à barbotine, en frottant la surface en tous sens.

7 Nettoyez les carreaux avec une éponge humide. Assurez la finition des joints avec un lisseur de joints pour leur donner une légère concavité régulière. Une fois le produit de jointoiement sec, essuyez le carrelage avec un chiffon propre et sec jusqu'à ce qu'il brille.

CHOIX DES COULEURS

Toutes sortes d'effets décoratifs peuvent s'obtenir en mêlant des carreaux de différentes couleurs. Le dessin en damier de la salle de bains ci-contre est particulièrement réussi. En reprenant les mêmes carreaux pour le traitement du sol, on arrive à une décoration très homogène.

CHOISIR DES MOTIFS ET DESSINS

OUTILLAGE

Papier millimétré
Crayon
Lattes de bois
Niveau à bulles
Mètre ruban
Spatule crantée
Carrelette
Crayon gras
Raclette à barbotine
Éponge
Chiffon

MATÉRIEL NÉCESSAIRE

Carreaux
Mortier-colle
Produit de jointoiement

VOIR AUSSI

Carreler un mur,
pages 54 à 55

Dans cette cuisine, les carreaux de tailles et de motifs différents délimitent des volumes différents.

Le carrelage bien posé offre toujours une impression de netteté, mais il est aussi possible de se livrer à toutes sortes d'expériences sur le plan de la taille, de la couleur et du mode de pose : on obtient ainsi des effets d'une grande originalité. Le carrelage vous offre donc une multitude de possibilités, aussi bien sur un mur entier que sur une surface plus modeste. De toute façon, mieux vaut toujours poser les carreaux à sec pour juger de l'effet obtenu avant de se lancer dans la pose définitive.

AVANT-PROJET

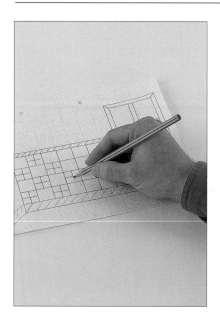

Avant de poser des carreaux de tailles et de couleurs différentes, il est bon de faire un croquis à l'échelle. Non seulement il est intéressant d'avoir une idée visuelle du résultat, mais encore c'est un moyen sûr d'estimer les quantités nécessaires.

TRUCS ET ASTUCES

● Avant d'acheter des carreaux destinés à figurer côte à côte, vérifiez qu'ils ont la même épaisseur. En effet, celle-ci n'est pas normalisée et, pour réussir ce genre de travail, il faudrait poser chaque type de carreau sur une épaisseur différente de mortier-colle.

● Certains carreaux sont parfaitement carrés, d'autres ont un aspect plus rustique : ne mélangez pas les deux types. Pour poser des carreaux moulés à la main – ou prétendus tels –, mieux vaut utiliser un mortier-colle de haute adhérence qui n'exige pas l'utilisation de croisillons d'espacement.

MÉLANGE DES TAILLES

1 Il peut être intéressant de juxtaposer dans le même dessin des carreaux de tailles différentes. Encore faut-il que la grande taille soit un multiple de la petite. Servez-vous d'une latte de bois pour la pose de la première rangée (voir page 54).

2 Continuez la pose rangée par rangée, en alternant les deux modèles de carreaux. On peut combiner mélange de tailles et mélange de couleurs pour renforcer le contraste.

POSE EN DIAGONALE

1 Pour poser des carreaux en diagonale, il faut leur faire effectuer une rotation de 45°. Servez-vous d'un niveau à bulles afin de placer de façon exacte la rangée inférieure.

2 Continuez la pose rangée par rangée, en changeant de couleur si vous le désirez. Prenez de temps en temps un peu de recul pour vous assurer de l'homogénéité du dessin ; effectuez quelques corrections au fur et à mesure si nécessaire.

DES COULEURS AU HASARD

1 Un effet décoratif différent s'obtient en mêlant les carreaux avec un désordre apparent. Commencez normalement et, pour continuer, ajoutez des blocs de quatre carreaux en mêlant les couleurs à votre gré.

2 Continuez à poser rangée après rangée, sans ordre particulier ; en mêlant trois ou quatre couleurs différentes, vous obtiendrez les résultats les meilleurs. À vous de voir si vous préférez des couleurs complémentaires ou non.

POSER UN REVÊTEMENT MURAL

OUTILLAGE

Mètre ruban
Crayon
Niveau à bulles
Spatule crantée
Carrelette
Raclette à barbotine
Éponge
Chiffon
Pistolet
Papier cache

MATÉRIEL NÉCESSAIRE

Carreaux
Mortier-colle
Produit de jointoiement
Silicone d'étanchéité

VOIR AUSSI

Carreler un mur,
pages 54 à 55

Une bordure carrelée à motifs géométriques protège de façon esthétique le dessus du lavabo.

Au-dessus d'un évier ou d'un lavabo, il faut que le mur résiste aux éclaboussures. La façon la plus efficace d'assurer l'étanchéité est de carreler cette partie de mur afin de pouvoir essuyer facilement les gouttes. Si le lavabo ou l'évier est parfaitement perpendiculaire à la surface du mur, il peut en général servir d'appui à la rangée inférieure de carreaux.

La surface carrelée est plus jolie si l'on n'utilise que des carreaux entiers, sans coupure ni autre interruption. En revanche, il est possible de mettre autour du carrelage principal des carreaux de frise, de n'importe quelle taille d'ailleurs. En règle générale, plus les carreaux sont grands et moins il y aura de joints ; or, ces derniers constituent un point faible sur le plan de l'étanchéité. Le nombre de carreaux nécessaires à ce genre de travail étant toujours réduit, profitez-en pour acheter des carreaux d'excellente qualité. Ce petit luxe ne fera pas de grande différence de prix, et vous obtiendrez un résultat plus satisfaisant sur le plan esthétique.

1 Assurez-vous que la surface à carreler est symétrique par rapport au centre du lavabo. Avec un niveau à bulles, tracez l'axe au crayon sur le mur.

2 Comme le nombre de carreaux à poser est limité, vous gagnerez sans doute du temps en les enduisant de mortier-colle un par un, juste avant de les appliquer sur le mur.

3 Posez le premier carreau en l'alignant avec soin sur le trait tracé au crayon. Pressez fortement le carreau contre le mur pour bien le fixer.

4 Posez le deuxième carreau et calez les deux carreaux avec des croisillons d'espacement. Continuez la pose en progressant du centre vers les côtés, et de bas en haut. N'oubliez pas les croisillons.

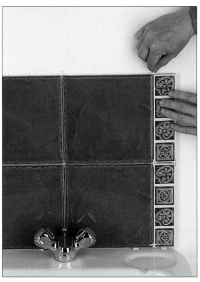

5 Posez ensuite les petits carreaux de la bordure, en vous servant des mêmes croisillons. Continuez à enduire de mortier-colle le dos de chaque carreau au dernier moment.

6 Peut-être aurez-vous besoin de faire quelques découpes. Veillez à placer les carreaux coupés là où on les verra le moins.

7 Une fois les carreaux posés, laissez sécher 24 heures. Appliquez le produit de jointoiement (voir page 55). Quand la barbotine est sèche, essuyez l'excédent. Posez un cordon de silicone au-dessous de la rangée inférieure de carreaux, pour assurer l'étanchéité avec le lavabo. Délimitez le cordon avec du papier cache.

8 Une fois le cordon de silicone posé, retirez le papier cache avant que le silicone n'ait pris. Laissez sécher 24 heures avant de commencer à utiliser le lavabo.

LES CARREAUX DE MOSAÏQUE

OUTILLAGE

Cutter
Crayon gras
Lattes de bois
Mètre ruban
Niveau à bulles
Crayon
Spatule crantée
Mini-rouleau
Raclette à barbotine
Éponge
Chiffon

MATÉRIEL NÉCESSAIRE

Carreaux de mosaïque
Mortier-colle
Produit de jointoiement

VOIR AUSSI

Carreler un mur,
pages 54 à 55

La technique de la mosaïque permet de créer des dessins complexes de grande valeur décorative.

L e carrelage miniature, dit mosaïque, constitue une alternative de choix aux carreaux de grande taille. Sur le plan esthétique, le résultat est profondément différent car on peut réaliser des détails beaucoup plus fouillés tout en conservant une excellente résistance à l'usure et à l'humidité. La mosaïque peut se poser en vastes surfaces monochromes, mais on peut aussi entourer celles-ci de bordures et faire tous les mélanges imaginables. Par exemple, deux surfaces peuvent s'interpénétrer plus ou moins au hasard, comme dans l'exemple de cette page.

Les carreaux de mosaïque sont vendus contrecollés sur un support ajouré, ce qui permet d'en poser un grand nombre d'un coup. Bien sûr, on peut en détacher les carreaux un par un ou par rangée pour créer des effets particuliers. Une finition irréprochable exige une préparation minutieuse : le moins que l'on puisse faire est de disposer d'abord les carreaux à sec avant de les fixer au mur. Pour une surface importante, il faut se servir d'un gabarit (voir étape 1 page 54).

1 Avant de fixer au mur les carreaux sur leur support, il faut décider de la façon dont les panneaux contigus vont se rejoindre. Posez-les sur une surface plane ou une planche à découper, car il va falloir trancher certains fils du support ajouré pour permettre à un support de recouvrir l'autre.

2 Donnez un coup de cutter entre chaque rangée afin de trancher les fils des deux épaisseurs ; séparez des groupes comptant de un à cinq carreaux.

3 Retirez les carreaux en excédent de façon à n'avoir plus qu'une épaisseur posée à plat sur la planche à découper. Cela donne un motif de base que vous allez modifier en échangeant des carreaux des deux couleurs. Marquez au crayon gras l'endroit où vous désirez insérer un carreau d'une autre couleur.

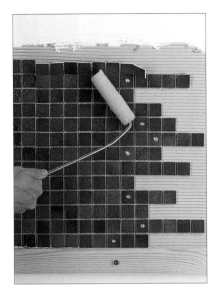

4 Fixez au mur les carreaux du premier support en alignant la rangée inférieure sur une latte de bois. Un mini-rouleau est l'instrument idéal pour bien appliquer l'ensemble des carreaux contre le mortier-colle.

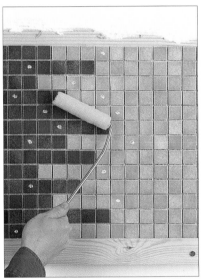

5 Posez à présent les carreaux du deuxième support et appuyez bien avec le mini-rouleau en soignant particulièrement le raccord entre les deux couleurs, dont l'alignement doit être parfait.

6 Avant séchage du mortier-colle, retirez au cutter les carreaux marqués au crayon gras. Mieux vaut faire cette opération sur le mur que sur la planche à découper, afin de limiter le nombre de morceaux à manipuler.

7 Remplissez les trous avec les carreaux de la couleur appropriée. Recommencez avec les supports suivants jusqu'à la fin du travail. Une fois le mortier-colle sec, appliquez le produit de jointoiement selon la technique habituelle (voir page 55).

VARIATIONS SUR LES MATIÈRES

Avec la mosaïque, on obtient facilement un effet piscine qui convient particulièrement aux salles de bains, grâce au vaste choix de couleurs et de textures. Dans cette petite salle d'eau, on a juxtaposé des murs intégralement couverts de mosaïque avec une paroi de briques en verre cathédrale.

UNE TABLE EN MOSAÏQUE

OUTILLAGE

Tournevis
Papier de verre
Chiffon
Crayon
Ficelle
Crayon-feutre ou
crayon gras
Mètre ruban
Carrelette
Pointe au carbure
Spatule crantée
Pince à rogner
Raclette à barbotine

MATÉRIEL NÉCESSAIRE

Carreaux de céramique
Mortier-colle
Produit de jointoiement
Produit lustrant

La mosaïque est une technique radicale pour donner une nouvelle jeunesse à une vieille table.

On peut acheter en vrac des carreaux de céramique de différentes couleurs ; veillez cependant à ce qu'ils soient de la même épaisseur. Mais on peut aussi se fabriquer à la carrelette des carreaux de toutes les tailles et de toutes les formes à partir d'un carrelage ordinaire. Tous les dessins sont possibles : géométriques et même, comme ci-dessus, figuratifs. Utilisez vos talents artistiques pour créer des motifs originaux, comme ceux qui sont présentés dans cet exemple. Néanmoins, des motifs simples, par exemple des cercles concentriques, sont souvent du plus bel effet.

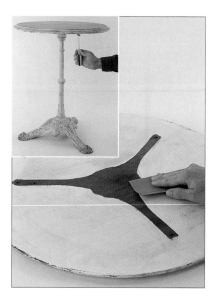

1 Dans cet exemple, la table a un meilleur rebord biseauté si on retourne le plateau. Commencez par dévisser celui-ci et poncez le côté destiné à la céramique. Nettoyez avec un chiffon humide pour retirer toute trace de poussière.

2 Choisissez le nombre de cercles concentriques de mosaïque et servez-vous d'un crayon et d'une ficelle comme d'un compas pour tracer les cercles correspondants.

3 Tracez les lignes de découpage sur les carreaux avec un crayon gras ou un feutre. Dans l'exemple choisi, on a décidé de couper des carreaux de 1 cm². Il faut donc marquer un point sur le bord du carreau tous les centimètres.

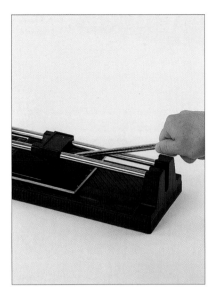

4 Tracez une ligne avec la pointe au carbure à chaque marque. Veillez à appuyer suffisamment pour que la molette griffe la surface de l'émail. Tournez le carreau de 90° et tracez les lignes perpendiculaires.

5 Placez le carreau en position de coupe sur la carrelette, en le bloquant entre les glissières ; appuyez sur le manche pour casser le carreau suivant chaque ligne.

6 Prenez les morceaux ainsi obtenus et cassez-les à leur tour dans l'autre sens : on obtient des carreaux de céramique à la dimension voulue. Passez ensuite au carreau suivant.

7 Commencez à poser les carreaux de céramique de la rangée extérieure, non sans les avoir enduits de mortier-colle. Autant que possible, tournez vers l'extérieur le chant couvert d'émail, et non celui tranché à la carrelette.

8 Continuez à poser la mosaïque. À la fin de chaque cercle, rectifiez au besoin la coupe du dernier carreau avec une pince à rogner. Une fois les carreaux posés, laissez sécher puis appliquez le produit de jointoiement. Quand celui-ci est sec et essuyé, appliquez un produit lustrant.

LE TRAVAIL DU BOIS : TECHNIQUES ET OUTILS

AMÉNAGER UNE BIBLIOTHÈQUE

DIFFICULTÉ : moyenne
DURÉE : un jour
OUTILS SPÉCIAUX : niveau à bulles, scie égoïne, scie à onglets
VOIR PAGES 66 à 67

Quand on manque d'espace de rangement, l'idéal est d'installer une bibliothèque sur mesure, qui sera un élément décoratif fonctionnel et élégant. Ce genre d'étagère s'aménage de préférence dans une alcôve ou de chaque côté d'une cheminée pour tirer parti d'un volume qui serait sans cela perdu. Pour que la finition soit parfaite, mieux vaut doubler les étagères – en tout ou en partie – avec des panneaux de fibres compressées ; les chants des étagères seront cachés par une baguette. La partie inférieure peut être occupée par un placard encastré, qui offrira un volume de rangement supplémentaire. Les consoles doivent permettre de régler la hauteur des étagères une fois le travail achevé.

LES ÉTAGÈRES SUR TASSEAUX

DIFFICULTÉ : faible à moyenne
DURÉE : une demi-journée à un jour
OUTILS SPÉCIAUX : scie à onglets ou scie égoïne
VOIR PAGES 68 à 69

Les tasseaux constituent un moyen simple et peu coûteux de poser des étagères (voir pages 66 à 67), par exemple dans des alcôves. Cependant, cette technique n'exige pas de doubler l'alcôve avec des panneaux de fibres. Les étagères reposent sur des tasseaux vissés dans le mur, relativement rapides à poser. En revanche, contrairement à la méthode précédente, la hauteur des étagères ne peut plus être modifiée une fois qu'elles sont en place. Le chant des étagères peut ici aussi être caché derrière des baguettes de bois blanc qui améliorent l'aspect final en leur donnant une apparence plus raffinée rappelant celle des bibliothèques.

LES ÉTAGÈRES EN KIT

DIFFICULTÉ : faible à moyenne
DURÉE : une demi-journée
OUTILS SPÉCIAUX : poinçon
VOIR PAGES 70 à 71

Des fabricants ont mis au point des étagères en kit susceptibles de trouver leur place dans n'importe quel style d'intérieur. La plupart de ces systèmes actuels comportent des crémaillères que l'on fixe au mur et sur lesquelles on bloque des clips de fixation servant de soutien aux étagères. Il est indispensable de veiller à ce que toutes les crémaillères soient parfaitement de niveau, afin que les étagères soient bien horizontales et stables. L'esthétique et la géométrie de ces systèmes peuvent légèrement changer d'un fabricant à un autre, mais les étagères en bois restent les plus courantes. Néanmoins, certains proposent des étagères en verre qui sont particulièrement élégantes.

LES ÉTAGÈRES SANS SUPPORT APPARENT

DIFFICULTÉ : faible à moyenne
DURÉE : deux heures
OUTILS SPÉCIAUX : aucun
VOIR PAGES 72 à 73

Les dispositifs de fixation des étagères au mur sont quelquefois aussi encombrants qu'inesthétiques, gâchant alors complètement le résultat final du travail. Certains fabricants ont donc conçu des systèmes qui disparaissent dans l'épaisseur des étagères et deviennent ainsi invisibles une fois posés. Une autre méthode, à la portée de n'importe quel amateur, consiste à confectionner ses propres supports invisibles en scellant des tourillons dans le mur avec de la résine polymérisable. Une fois les tourillons solidement fixés, on installe les étagères à leur place : les tourillons disparaissent dans les trous prévus à cet effet.

Perceuse sans fil

Mètre ruban

Marteau

Tournevis

Établi-étau

Défonceuse

UNE ÉTAGÈRE D'ANGLE

DIFFICULTÉ : moyenne
DURÉE : trois heures
OUTILS SPÉCIAUX : scie sauteuse, règle métallique, défonceuse, niveau à bulles
VOIR PAGES 74 à 75

En construisant vous-même vos étagères d'angle, vous créez un volume de rangement qui convient à vos besoins particuliers et aux volumes à votre disposition. Le modèle présenté plus loin tire le meilleur parti de la place disponible et constitue un rangement idéal pour une petite salle de bains. On peut finir les chants à la défonceuse pour améliorer le coup d'œil final.

RÉNOVER UN PLACARD

DIFFICULTÉ : faible à moyenne
DURÉE : deux heures par porte
OUTILS SPÉCIAUX : scie à onglets
VOIR PAGES 76 à 77

Pour donner un petit coup de neuf à votre intérieur, rien n'est aussi facile que de retoucher vos placards et portes de placard, ou de modifier leur décoration. Une simple bombe de peinture et quelques pochoirs feront merveille. Une moulure autour de la porte et des poignées neuves compléteront la transformation. La même méthode peut s'appliquer aux tiroirs, même dans la cuisine.

NOTIONS D'ENCADREMENT

DIFFICULTÉ : faible à moyenne
DURÉE : une heure
OUTILS SPÉCIAUX : agrafeuse, boîte à onglets, scie à monture fine, marteau de menuisier, poinçon
VOIR PAGES 78 à 79

La confection d'un cadre pour un tableau est une tâche simple et gratifiante, beaucoup moins coûteuse que les services d'un encadreur professionnel. Les matériaux sont faciles à trouver et chaque cadre peut être fait aux mesures du tableau à mettre en valeur. Commencez par réfléchir aux dimensions du cadre et à la couleur du passe-partout, après avoir pris les mesures de votre tableau.

LA DORURE

DIFFICULTÉ : moyenne
DURÉE : deux heures
OUTILS SPÉCIAUX : pinceau d'artiste
VOIR PAGES 80 à 81

Vous ne reconnaîtrez pas votre cadre une fois que vous l'aurez doré. La technique est la même quel que soit l'objet à encadrer : miroir, tableau ou photo. La difficulté réside dans l'application des feuilles de métal dans les anfractuosités des moulures du cadre au moyen d'une colle appropriée. La qualité du résultat dépend de votre adresse manuelle : en effet, c'est au pinceau d'artiste que l'on applique les feuilles de métal sur le cadre. On peut ensuite donner un aspect vieilli en frottant avec de la terre d'ombre brûlée.

LES LAMBRIS

DIFFICULTÉ : moyenne
DURÉE : un jour en moyenne
OUTILS SPÉCIAUX : chasse-clou
VOIR PAGES 82 à 83

Le secret d'un beau lambrissage, c'est la qualité et la solidité du cadre sur lequel on fixe les lambris. Il faut que ces derniers soient parfaitement verticaux et que les clous ne se voient pas. Ce type de lambris est à la fois solide et décoratif. On peut s'en servir pour couvrir des murs entiers, ou seulement jusqu'à hauteur d'appui. Dans ce dernier cas, il faudra poser une moulure ou une baguette juste au-dessus des lambris, pour obtenir une jolie finition.

LES PANNEAUX DE BOISERIE

DIFFICULTÉ : faible à moyenne
DURÉE : un jour en moyenne
OUTILS SPÉCIAUX : scie égoïne, pistolet à colle, scie à onglets
VOIR PAGES 84 à 85

Les kits de panneaux prêts à poser constituent une façon rapide et efficace pour mettre en valeur un beau mur. Ces systèmes se montent un peu comme des puzzles ; ils sont conçus de façon à demander peu de main-d'œuvre, mais l'accent est mis sur une esthétique résolument traditionnelle. Les clous et vis sont aussi invisibles que dans le cas du lambrissage, car ils sont remplacés par de la colle.

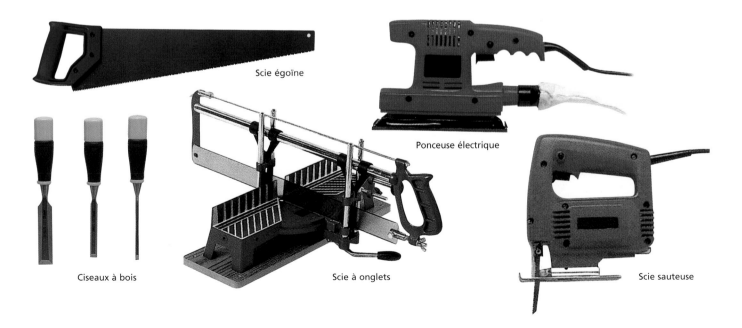

Scie égoïne

Ponceuse électrique

Ciseaux à bois

Scie à onglets

Scie sauteuse

AMÉNAGER UNE BIBLIOTHÈQUE

OUTILLAGE

Scie égoïne
Niveau à bulles
Perceuse, forets et
tournevis
Mètre ruban
Crayon
Scie à onglets
Marteau

MATÉRIEL NÉCESSAIRE

Tasseaux en bois
Vis à bois ou pointes
en acier trempé
Fixations murales
(si nécessaire)
Panneaux de fibres
compressées (MDF)
Crémaillères
Chevilles de fixation
Clous

Certaines demeures anciennes avaient dès leur construction des bibliothèques encastrées.

Une bibliothèque encastrée est une excellente solution de rangement ; exécutée sur mesure, elle joue un rôle dans l'esthétique générale de la pièce. Certaines solutions sont simples, d'autres le sont moins ; on peut même construire un meuble bibliothèque indépendant, mais une alcôve constitue un recoin idéal pour y installer une bibliothèque car le cadre est déjà tout fait. En transformant une alcôve en bibliothèque, on utilise ce volume de façon rationnelle car il n'est pas évident d'y loger d'autres meubles.

En général, il faut doubler le mur et les parois – au moins en partie – de panneaux de fibres afin de donner une impression d'encastrement. Dans l'exemple ci-dessous, les côtés de l'alcôve sont doublés avec des panneaux de fibres ; ceux-ci rendent le volume bien carré et servent de base aux montants des étagères et à l'encadrement. La partie inférieure de la bibliothèque peut être aménagée en placard, ce qui ajoute à l'impact décoratif sur l'ensemble de la pièce.

La bibliothèque peut ensuite être peinte des mêmes couleurs que les murs ou dans une couleur complémentaire afin de mieux faire ressortir sa particularité.

1 Découpez des tasseaux d'une taille égale à la profondeur de l'alcôve moins l'épaisseur de l'encadrement qui sera posé à la fin dans un but décoratif. Percez un avant-trou à chaque extrémité du tasseau, posez celui-ci et vérifiez l'horizontalité avec un niveau à bulles ; fixez-le avec des vis, le cas échéant sur des chevilles.

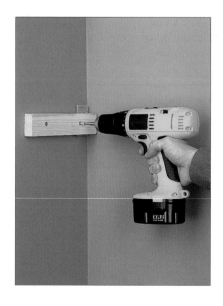

2 Dans certains murs, il vaut mieux utiliser des pointes en acier trempé, permettant de visser directement le tasseau dans le mur. Si les parois ne sont pas à angle droit, calez le tasseau avec une chute de bois. Fixez tous les tasseaux en les espaçant d'une trentaine de centimètres de chaque côté de l'alcôve.

3 Découpez une planche de panneaux de fibres de la hauteur de la bibliothèque et d'une largeur égale à la longueur des tasseaux. Posez la planche à sa place et marquez dessus au crayon l'endroit où doivent être fixées les deux crémaillères, à 5 cm des bords.

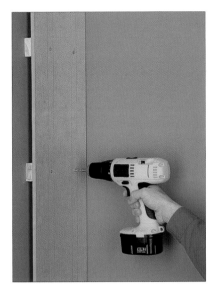

4 Retirez les crémaillères et percez des avant-trous dans le panneau et les tasseaux. Percez ces trous de façon qu'ils soient cachés par les crémaillères, qui sont beaucoup plus jolies.

5 Fixez les crémaillères en vérifiant leur verticalité avec un niveau à bulles. Les vis de fixation des crémaillères doivent être enfoncées dans les tasseaux et en aucun cas dans le mur derrière.

6 Découpez un encadrement aux mesures de votre bibliothèque et clouez-le à sa place, en veillant à enfoncer vos clous dans les tasseaux posés au début. Si votre encadrement a besoin d'un linteau, posez tasseaux et panneau au-dessus de la bibliothèque comme vous avez fait sur les côtés.

7 Les crémaillères sont normalement vendues avec des chevilles de fixation sur lesquelles reposent les étagères. Comme la place des chevilles n'est pas définitive, on peut modifier l'espacement des étagères chaque fois que nécessaire.

8 Pour finir, découpez des plaques de panneaux de fibres et posez-les sur les chevilles, puis peignez. Toutefois, il est plus facile de peindre les étagères séparément plutôt qu'à leur place définitive.

LES ÉTAGÈRES SUR TASSEAUX

OUTILLAGE

Crayon
Mètre ruban
Niveau à bulles
Scie à onglets
Scie égoïne
Perceuse, forets
et tournevis
Marteau

MATÉRIEL NÉCESSAIRE

Panneaux de fibres
compressées (MDF)
Tasseaux en bois
Lattes en bois tendre
Vis à bois
Chevilles (si nécessaire)
Clous

Les étagères sur tasseaux ne sont pas compliquées à concevoir, et constituent un rangement aussi commode qu'agréable à l'œil. Dans cette salle à manger, des étagères en bois massif servant à ranger et à exposer de beaux objets ont été posées dans les alcôves qui flanquent la cheminée.

Les étagères sur tasseaux ne coûtent pas cher, sont faciles à poser et s'avèrent fort pratiques. Comme les autres étagères, elles ont impérativement besoin de reposer sur des supports bien plans car la moindre erreur sautera aux yeux une fois les étagères en place et sera difficile à rattraper. Les côtés et le fond de l'alcôve offrent un solide appui aux étagères, qui peuvent donc porter des objets lourds et même de gros livres. Dans l'exemple de cette double page, on a posé des tasseaux de 5,5 x 2,5 cm, mais la taille peut changer en fonction de la largeur des étagères et du poids qu'elles sont censées porter.

1 Avec un crayon et un niveau à bulles, tracez une ligne sur le mur là où vous souhaitez fixer les tasseaux. Comme aucun changement ne sera possible par la suite, tâchez de ne pas vous tromper.

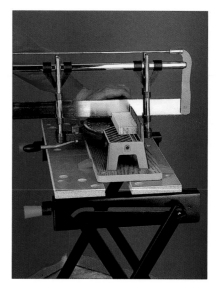

2 Découpez les tasseaux à la bonne taille avec une scie à onglets ou une scie égoïne. Il est plus facile de scier droit avec une scie à onglets : les tasseaux s'ajusteront mieux entre eux. Percez un avant-trou de 25 mm à chaque extrémité des tasseaux.

3 Placez les tasseaux courts sur les côtés de l'alcôve en vous guidant sur les lignes tracées au crayon. Vérifiez l'horizontalité avec un niveau à bulles, marquez la place des chevilles avec un poinçon et percez. Placez les chevilles et vissez les tasseaux à leur place.

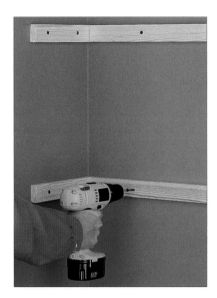

4 Vérifiez de nouveau que les deux tasseaux en vis-à-vis sont parfaitement de niveau. Une fois les tasseaux latéraux à leur place, découpez celui destiné au fond de l'alcôve et posez-le de la même façon. Là non plus, n'oubliez pas de vérifiez l'horizontalité à l'avance.

5 Prenez séparément les mesures de chaque étagère ; mesurez la largeur à l'avant et à l'arrière des tasseaux. En effet, les alcôves sont rarement d'équerre : ne reportez pas les mesures aveuglément.

6 Une fois les étagères découpées dans les panneaux, vous pouvez vous contenter de les poser, mais on n'est jamais trop prudent : n'hésitez pas à les clouer ou à les visser sur les tasseaux.

7 Pour une finition parfaite, cachez les chants avec des lattes en bois tendre d'une largeur identique à celle des tasseaux, plus l'épaisseur des panneaux de fibres. Clouez vos lattes puis enfoncez les têtes des clous avant la couche de peinture indispensable.

TRUCS ET ASTUCES

Si vous n'avez que des planches carrées pour installer des étagères dans une alcôve qui ne l'est pas, vous pouvez remplir les vides entre l'étagère et le mur avec un enduit de rebouchage en plâtre ou un produit de calfatage. Pour ce travail particulier, ces deux solutions sont en effet préférables à celle d'un mastic polyvalent car elles s'adapteront mieux aux légers mouvements de l'étagère une fois celle-ci peinte et utilisée. Le mastic supporte moins bien le mouvement, il se fendra et cela se verra.

LES ÉTAGÈRES EN KIT

OUTILLAGE

Niveau à bulles
Crayon
Poinçon
Perceuse, forets et
tournevis

MATÉRIEL NÉCESSAIRE

Étagères en kit
Vis à bois
Chevilles (si nécessaire)

Les étagères en kit constituent une solution idéale pour installer des rangements dans une mansarde, car elles se prêtent à n'importe quelle pente.

Nombreux sont les kits d'étagères conçus autour de crémaillères réglables que l'on fixe aux murs : les consoles portant les étagères peuvent s'y suspendre à n'importe quelle hauteur. Ces ensembles sont d'une souplesse qui se prête à merveille à l'aménagement de recoins mal accessibles, par exemple sous un toit à la Mansard. On peut aussi les utiliser de façon plus conventionnelle pour en faire des séries d'étagères classiques, voire une étagère individuelle isolée sur son mur.

L'important, comme chaque fois que l'on pose une étagère, est de s'assurer que les consoles sont bien de niveau.

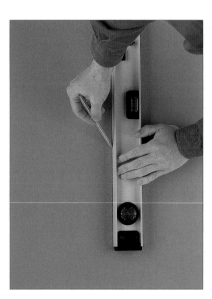

1 Avec un niveau à bulles, tracez au crayon sur le mur une ligne verticale de la longueur précise de la crémaillère choisie. Normalement, le fabricant recommande un espacement optimum entre les crémaillères.

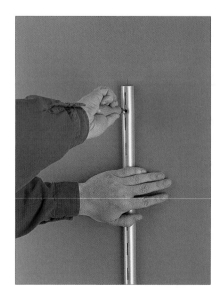

2 Présentez la crémaillère à sa place et, avec un poinçon, marquez le mur pour repérer la place des vis. On peut également essayer de faire la marque au crayon mais, en général, le trou est trop petit.

3 Reposez la crémaillère et percez les trous avec un foret correspondant au diamètre des chevilles. Placez les chevilles dans les trous.

4 Présentez de nouveau la crémaillère et placez les vis dans leurs trous respectifs. Pendant que vous les vissez, tenez le niveau à bulles contre la crémaillère pour en vérifier la verticalité.

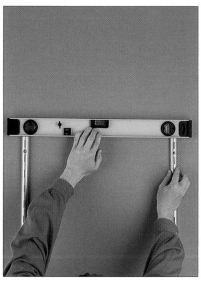

5 Présentez l'autre crémaillère à sa place ; vérifiez sa hauteur au niveau à bulles ; marquez les trous, percez, placez les chevilles et vissez.

6 Placez les consoles sur les crémaillères à la hauteur voulue. Les modèles de consoles diffèrent selon les fabricants : en général, la console possède deux à quatre saillies que l'on accroche dans les trous de la crémaillère.

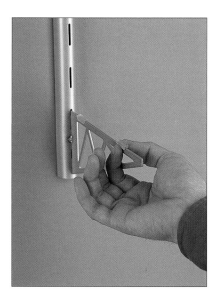

7 Une fois les étagères posées sur les consoles, on les fixe parfois avec des vis. Si les étagères sont en verre, comme ci-contre, placez des tampons protecteurs sur les consoles et des tampons adhésifs sur les étagères pour qu'elles ne glissent pas.

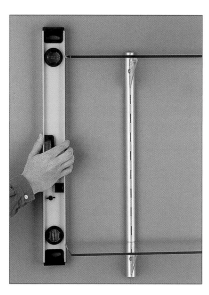

8 Posez les étagères sur les consoles et vérifiez au niveau à bulles l'alignement vertical des bords. Pour changer la hauteur d'une étagère, il suffit de déplacer les consoles sur lesquelles elles reposent.

LES ÉTAGÈRES SANS SUPPORT APPARENT

OUTILLAGE

Mètre ruban
Crayon
Niveau à bulles
Perceuse électrique, forets
et embouts tournevis

Fixation à la colle époxy
Établi

MATÉRIEL NÉCESSAIRE

Étagères prêtes à poser

Fixation à consoles
Vis à bois
Chevilles

Fixation à la colle époxy
Résine polymérisable
Tiges filetées

Quand on a chez soi un bureau dans une pièce qui a d'autres usages, les étagères sans support apparent constituent une solution élégante aux problèmes de rangement.

L'étagère a un rôle simple et pratique, mais il y a moyen d'en faire un bel élément qui fera partie intégrante de votre ensemble décoratif ; le fait de rendre les supports – souvent peu élégants – invisibles constitue une façon simple d'en améliorer l'esthétique. Deux techniques différentes sont présentées sur cette double page, l'une consistant à utiliser des consoles cachées et l'autre à fixer à l'arrière de l'étagère des tiges filetées avec de la résine polymérisable.

FIXATION À CONSOLES

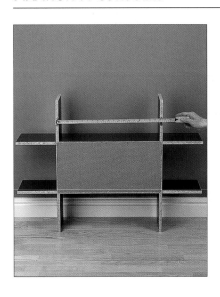

1 Beaucoup d'étagères toutes faites possèdent des supports cachés sur leur face arrière, encore faut-il en reporter les mesures sur le mur. Mesurez leur écartement avec un mètre ruban, en notant précisément l'écart de centre à centre entre les deux planches.

2 Reportez cette mesure sur le mur de façon aussi précise que possible. Notez-en la position avec de petites croix. Avec un niveau à bulles, vérifiez l'horizontalité et tracez un trait que vous effacerez d'un coup de pinceau avant de poser l'étagère.

3 Percez le mur aux points marqués et placez des chevilles à l'intérieur. Placez les vis en les enfonçant suffisamment pour qu'elles résistent à l'arrachage, mais laissez dépasser la tête suffisamment pour que les consoles à l'arrière de l'étagère s'y accrochent solidement.

4 Placez l'étagère en accrochant les consoles aux têtes de vis : soit vous serez récompensé de la précision de vos mesures, soit les consoles refuseront de se suspendre.

FIXATION À LA COLLE ÉPOXY

1 Pour une étagère unique, tracez sur le mur une ligne horizontale légèrement plus courte que l'étagère. À chaque extrémité, percez un trou pour y faire pénétrer une tige filetée, d'une profondeur égale aux deux tiers de la largeur de l'étagère. Injectez dans les trous la résine et son durcisseur.

2 Découpez deux tiges filetées d'une longueur égale à 1,3 fois la largeur de l'étagère. Placez chaque tige dans un trou en l'y enfonçant de la moitié de sa longueur. Au niveau à bulles, vérifiez l'horizontalité des tiges. Laissez la résine se polymériser, ce qui scellera solidement les tiges.

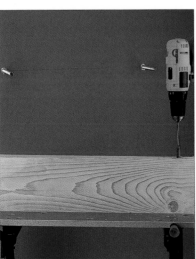

3 Fixez l'étagère sur chant, face arrière en l'air. Percez deux trous dans son épaisseur, de même écartement que les tiges filetées scellées dans le mur. Chaque trou doit être du diamètre de la tige, et d'une profondeur égale aux deux tiers de la largeur de l'étagère.

4 Posez l'étagère en faisant pénétrer les tiges dans les trous. Pour une meilleure solidité, on peut également remplir de résine les trous avant de poser l'étagère. Les supports sont invisibles.

UNE ÉTAGÈRE D'ANGLE

OUTILLAGE

Punaises
Ficelle
Crayon
Règle métallique
Scie sauteuse ou
scie égoïne
Masque antipoussière
Défonceuse
Perceuse, forets et
tournevis
Niveau à bulles

MATÉRIEL NÉCESSAIRE

Panneaux de fibres
compressées (MDF)
Vis à bois
Chevilles (si nécessaire)

Une étagère d'angle représente une solution de rangement idéale là où l'on manque de place.

L'organisation du volume dans une pièce donnée a souvent un point faible : les coins. On trouve dans le commerce des étagères et placards d'angle mais, dans bien des cas, il est nécessaire de construire soi-même le module qui convient exactement à l'endroit choisi, à moins que l'on ne cède tout simplement au plaisir d'ajouter une touche personnelle à la décoration de la pièce en question. Dans l'exemple retenu ici, les lignes courbes forment un heureux contraste avec la nature anguleuse du coin ; en outre, la forme curviligne des plateaux offre une surface plus importante que des étagères rectilignes. Les deux côtés et les plateaux sont découpés dans le même disque de panneau de fibres. Pour calculer la taille du panneau, mesurez dans l'angle la largeur du plus grand plateau. Doublez cette mesure et ajoutez 5 cm pour les chutes : il vous faut un panneau carré dont le côté est le résultat de votre calcul.

Il vous est possible d'en rectifier les chants à la défonceuse. Observez bien les conseils de sécurité du mode d'emploi ; faites-vous la main sur des chutes car l'usage de la défonceuse ne s'apprend pas instantanément.

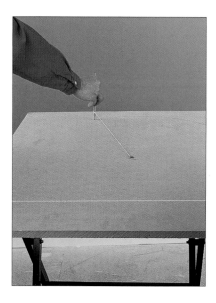

1 Fixez un crayon à une extrémité de la ficelle, et l'autre à une punaise enfoncée au milieu de votre panneau ; tracez un cercle de la taille voulue : ici, le rayon – c'est-à-dire la longueur de la ficelle – est de 40 cm.

2 Avec une règle métallique, divisez le cercle en quatre quartiers. Trois morceaux correspondants constitueront les côtés et le plateau inférieur : il est donc important qu'ils soient de la même taille afin de respecter la symétrie du tout sur le mur.

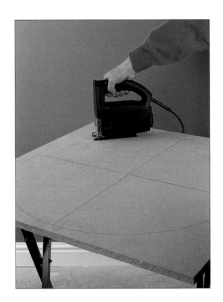

3 Découpez le cercle à la scie sauteuse ; une scie égoïne ferait l'affaire, mais l'appareil électroportatif est plus précis. Quand vous utilisez la scie sauteuse, ne manquez pas de mettre un masque afin d'éviter de respirer la poussière de bois.

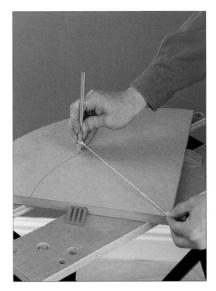

4 Découpez le cercle en quatre quartiers. Sur l'un des morceaux, tracez un quart de cercle avec une ficelle de 25 cm. Le morceau ainsi tracé constituera la petite étagère supérieure. Coupez ce quart de cercle à la scie sauteuse.

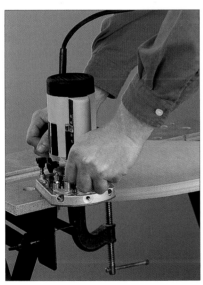

5 N'enlevez pas votre masque et, à la défonceuse, faites les moulures grâce à une lame orientable. Arrêtez la moulure à quelques centimètres du bord, cela donnera un plus bel aspect.

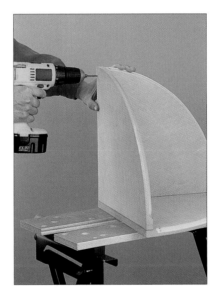

6 Vissez ensemble les trois gros morceaux : commencez par percer des avant-trous. Chaque vis doit pénétrer librement dans l'avant-trou, puis se visser du tiers restant de sa longueur dans la deuxième pièce. Toutes les vis étant fixées à l'arrière du meuble, elles demeureront complètement invisibles.

7 Percez les avant-trous correspondant à l'étagère supérieure, et vissez celle-ci à sa place. Avec un niveau à bulles, vérifiez l'horizontalité des deux étagères.

TRUCS ET ASTUCES

● Pour obtenir un assemblage précis des trois premiers éléments, vous serez peut-être obligé de corriger le tracé des bords à la défonceuse. Peut-être souhaiterez-vous rectifier la face arrière de l'un des morceaux pour assurer un ajustage précis, même si vos mesures initiales étaient correctes. Veillez à conserver une certaine souplesse dans vos méthodes d'assemblage.

● Une fois l'assemblage achevé, il faut peindre votre étagère. Quand la peinture est sèche, vissez l'étagère dans le mur avec des vis à bois et des chevilles.

RÉNOVER UN PLACARD

OUTILLAGE

Tournevis
Mastic
Chiffon
Papier de verre à grain
moyen
Panneaux ajourés (dessins
ou motifs de votre choix)
Scie à onglets
Perceuse sans fil et forets

MATÉRIEL NÉCESSAIRE

Enduit de lissage
Peinture-émulsion ou
à l'huile
Peinture en aérosol
Moulures
Ruban adhésif double face

Quelques couches de peinture et vous ne reconnaîtrez plus vos placards. À gauche, on a commencé par une couche bleu foncé, que l'on a en partie masquée avec du papier cache faiblement adhésif. Puis on a passé une couche d'un bleu plus pâle avant de retirer le papier cache.

Si vous désirez simplement changer de style, remplacer tous vos placards représente une solution coûteuse : pourquoi ne pas rénover ceux déjà en place ? En général, l'intérieur n'est pas visible ; donc, d'un point de vue purement esthétique, seules doivent être modifiées les portes. Vous pouvez changer les poignées, ajouter des baguettes ou des moulures et repeindre l'ensemble avec les couleurs de votre choix. Dans l'exemple ci-dessous, toutes ces idées ont été appliquées à de simples placards de cuisine. Un panneau en bois ajouré trouvé dans le commerce sert de pochoir pour créer un motif compliqué sur la porte : cela montre à quel point on peut changer de style sans changer la porte.

1 Dévissez la porte du placard de cuisine. Retirez charnières et poignées. En général, les poignées sont fixées avec des vis qui ont été posées sur la face intérieure de la porte. Posez la porte sur sa face extérieure afin d'avoir accès aux têtes des vis.

2 Remettez la porte face extérieure dessus et remplissez les trous de l'ancienne poignée ; laissez sécher et poncez tout. S'il s'agit – comme ici – d'une porte en mélaminé, passez sur la surface poncée une couche d'apprêt avant de peindre, en observant soigneusement le mode d'emploi.

3 Passez à présent une couche de peinture de base, peinture-émulsion ou peinture à l'huile. L'avantage de la première est sa vitesse de séchage : vous pouvez passer deux couches par jour.

4 Posez le panneau ajouré sur la porte, en l'alignant soigneusement avec les bords. Secouez la bombe de peinture en aérosol et passez deux couches légères sur le pochoir et la porte.

5 Soulevez le panneau ajouré avec précaution, en évitant de le frotter contre la porte. Ne le jetez pas : il peut resservir.

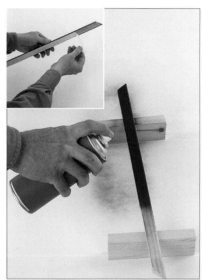

6 Découpez des moulures d'une longueur correspondant à la hauteur et à la largeur de la porte. Découpez les extrémités avec une scie à onglets. Peignez-les à la bombe. Dès qu'elles sont sèches, appliquez sur la base de chaque moulure du ruban adhésif double face. Retirez le papier de protection et fixez-le sur la porte.

7 Appuyez fermement sur chaque moulure en place, en veillant soigneusement à l'ajustement des coins. Des corrections mineures sont possibles pendant quelques minutes, après quoi la colle durcit et la moulure est définitivement en place.

8 Marquez la place des nouvelles poignées, percez et vissez. Remontez les charnières et remettez la porte à sa place.

NOTIONS D'ENCADREMENT

OUTILLAGE
Mètre ruban
Ciseaux ou cutter
Règle métallique
Crayon
Scie à onglets
Scie égoïne
Agrafeuse
Marteau de menuisier
Poinçon

MATÉRIEL NÉCESSAIRE
Passe-partout
Moulures d'encadrement
Colle à bois
Agrafes
Verre antireflet
Papier cache
Clous
Carton
Ruban adhésif
Pitons à œil
Cordelette

Un cadre en bois clair ressort avec bonheur sur ce mur dont la couleur intense n'est pas sans rappeler celle de la crête du coq.

d'une façon ou d'une autre encadrées : il est donc intéressant d'apprendre ne serait-ce que les rudiments du métier d'encadreur, pour éviter le coût supplémentaire de l'encadrement par un professionnel.

Dans l'exemple de cette double page, on encadre une charmante aquarelle avec un passe-partout et un cadre constitué d'une moulure en bois. Ces deux articles existent en maintes couleurs et qualités, ce qui permet non seulement d'accrocher de jolie manière un tableau, mais encore de l'intégrer de façon harmonieuse à la décoration de l'ensemble de la pièce. Cela est encore plus vrai si on envisage de suspendre une série ou un groupe de tableaux. Comme ils prendront de l'importance dans la décoration de la pièce, il est indispensable de choisir avec soin la couleur du passe-partout et du cadre.

P hotos, peintures et gravures constituent dans bien des demeures un élément décoratif important, tapissant les murs de façon plus ou moins serrée au goût de chacun. En général, elles sont

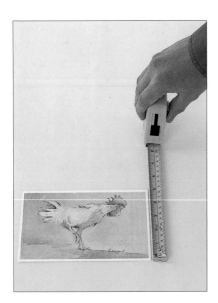

1 Mesurez précisément le tableau que vous souhaitez encadrer, avec un mètre ruban. Si les bords sont irréguliers ou que le format ne vous convient pas, coupez avec des ciseaux ou un cutter et une règle métallique et prenez les mesures après.

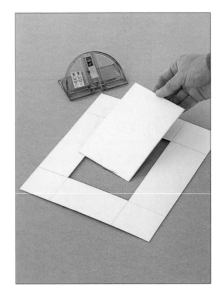

2 Avec un crayon bien taillé, reportez de façon précise les dimensions du tableau au milieu du passe-partout. Prélevez la fenêtre correspondante en vous servant d'un cutter et d'une règle métallique. Retirez le morceau ainsi découpé.

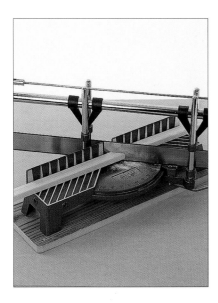

3 Mesurez les dimensions extérieures du passe-partout : elles vous donnent les dimensions intérieures du cadre. Découpez quatre morceaux de moulure en bois, à la scie à onglets. Vérifiez bien que vous coupez le biseau dans le bon sens, c'est-à-dire en coupant des morceaux plus longs que la mesure recherchée.

4 Déposez quelques gouttes de colle à bois à l'extrémité en biseau de chaque moulure ; réunissez-les pour constituer le cadre. Renforcez celui-ci en enfonçant deux agrafes à chaque angle. Naturellement, fixez-les au dos pour qu'on ne les voie pas. Laissez sécher la colle.

5 Demandez à un vitrier un morceau de verre antireflet aux dimensions de votre cadre. Placez-le dans le cadre avec le passe-partout par-dessus, en vérifiant qu'ils s'ajustent de façon précise. Retouchez le passe-partout s'il force ; s'il est trop lâche, découpez-en un autre à la bonne taille.

6 Placez le tableau sur le passe-partout et immobilisez-le avec du papier cache. Vérifiez qu'il apparaît exactement dans la « fenêtre » quand on regarde le cadre à l'endroit.

7 Découpez un morceau de carton de la taille du passe-partout, posez-le par-dessus le passe-partout et le tableau, et fixez-le avec de petits clous plantés dans le champ intérieur du cadre.

8 Recouvrez le joint et les clous avec du ruban adhésif, et posez de quoi accrocher votre tableau. Avec un poinçon, faites des avant-trous au dos du cadre, puis vissez les pitons à œil et réunissez-les par une cordelette. Suspendez le tableau.

LA DORURE

OUTILLAGE

Brosses
Petit pinceau d'artiste
Chiffon

MATÉRIEL NÉCESSAIRE

Peinture-émulsion
Couche d'assiette (apprêt)
Feuille de métal
Terre d'ombre brûlée

Un cadre doré ajoute toujours une touche d'élégance classique. Il peut s'intégrer à la décoration de la pièce ou devenir lui-même un objet décoratif.

Il est fréquent qu'un vieux cadre en bois ait beaucoup à gagner à être rénové d'une façon ou d'une autre, simple coup de pinceau ou restauration plus fouillée. La dorure est une des méthodes utilisées pour mettre en valeur un cadre ancien. Autrefois, la dorure se faisait avec de la feuille d'or véritable, mais il existe aujourd'hui d'autres métaux en feuille permettant d'obtenir le même résultat à un coût très inférieur. Il faut d'abord passer une couche d'apprêt, qui fera adhérer le métal en feuille au cadre. Pour vieillir l'aspect final, on peut frotter le cadre avec de la terre d'ombre brûlée, après la pose de la feuille de métal.

1 Pour renforcer l'effet de dorure, il est bon d'appliquer le métal en feuille sur une couche d'apprêt de couleur. Cette dernière peut être claire ou foncée : ici, on a choisi une peinture-émulsion d'un rouge soutenu. Peignez avec une petite brosse jusqu'au fond des moulures.

2 Une fois la couche d'apprêt sèche, passez la couche d'assiette à l'endroit que vous allez dorer en premier. Commencez par un seul côté du tableau.

3 Laissez la couche d'assiette sécher un moment, jusqu'à ce qu'elle perde sa couleur laiteuse pour devenir transparente tout en restant légèrement poisseuse. Posez une feuille de métal sur le cadre, retirez le support en papier (s'il y en a un).

4 Avec un petit pinceau propre, faites adhérer la feuille de métal à la surface du cadre. Le relief tourmenté des moulures fait que certains endroits resteront sans métal : on peut revenir dessus plus tard, ou les laisser tel quel pour un effet davantage vieilli.

5 Retirez l'excédent de feuille de métal au fur et à mesure, et utilisez-le là où il en manque. Certains préfèrent laisser de nombreux « trous », d'autres préfèrent que la dorure soit intégrale.

6 Une fois l'ensemble du cadre doré, il reste de petits morceaux de métal accrochés çà et là. Détachez-les en quelques coups de brosse en soies de porc.

7 Pour finir, prenez avec un chiffon un peu de terre d'ombre brûlée, que vous ferez pénétrer bien au fond des moulures pour donner un effet vieilli.

PRÉSENTATION DES TABLEAUX

Les tableaux contribuent à créer une atmosphère accueillante et chaleureuse. Si les tableaux constituent le centre d'intérêt, ce sont les cadres qui font le lien avec le reste du décor. Une série de cadres de même couleur pour des tableaux de styles différents peut faire beaucoup d'effet sans jurer avec les autres éléments de la pièce.

LES LAMBRIS

OUTILLAGE

Mètre ruban
Crayon
Niveau à bulles
Perceuse, forets et
tournevis
Marteau
Chasse-clou

MATÉRIEL NÉCESSAIRE

Liteaux en bois
Boulons à expansion
ou vis à bois et chevilles
Lattes à assemblage à
rainure et languette
Clous
Colle
Moulures
Plinthes
Tasseaux

Un lambris pastel confère à la pièce une atmosphère calme et détendue.

Le lambris est une forme traditionnelle d'habillage des murs qui a parfaitement sa place dans une maison moderne : inusable et décoratif, il résiste à merveille aux éraflures et autres injures de la vie quotidienne, contrairement aux surfaces peintes ou tapissées. En général, les lambris montent à hauteur d'appui, mais vous pouvez tout à fait envisager de les prolonger jusqu'au plafond. C'est une solution d'une grande souplesse, qui convient à n'importe quelle pièce de la maison. Sur le plan décoratif, le lambris offre un véritable embarras du choix : certains préfèrent conserver le bois naturel, d'autres préfèrent le teindre, le peindre ou le cacher avec toutes sortes de procédés. La décision doit se prendre en fonction des autres options de décoration.

Généralement, la technique utilisée pour poser un lambris est la fixation à rainure et languette ; par conséquent, on ne doit rien voir de l'extérieur. Cette façon de procéder est clairement décrite sur cette double page. Le lambris se fixe sur un cadre en liteaux : la fabrication de ce cadre sera donc la première étape de votre projet, avant la pose proprement dite des lambris.

1 Pour poser un lambris d'appui d'une hauteur de 1 m, il faut fixer au mur au moins trois liteaux. Avec un mètre ruban et un crayon, marquez sur le mur la hauteur de la latte supérieure et de la latte médiane. La plus basse sera fixée au niveau du sol.

2 Au niveau des marques, tracez des lignes horizontales sur toute la largeur du mur, avec un niveau à bulles. Ces lignes vous guideront pour placer vos liteaux au bon endroit. Assurez-vous qu'elles sont parfaitement horizontales, de façon que le lambris soit bien droit une fois fini.

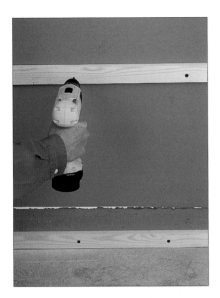

3 Percez des avant-trous et vissez les liteaux en vous guidant sur les traits de crayon tracés en 2. Aboutez plusieurs liteaux si nécessaires, en fonction de la largeur du mur et de la longueur des liteaux. Utilisez des boulons à expansion – comme ici – ou des chevilles et des vis à bois normales : le résultat sera le même.

4 Coupez les lambris exactement à la même longueur, mesurée du niveau du sol au haut de la latte supérieure. On commence par encastrer les lambris à la main, en faisant pénétrer chaque languette dans la rainure correspondante.

5 Dès qu'un lambris est en place, clouez-le à 45 degrés contre le liteau en traversant la languette. Enfoncez bien la tête du clou avec un chasse-clou. Posez un clou par liteau : il sera caché par le lambris suivant.

6 Pour couronner l'ouvrage, posez un tasseau au-dessus du liteau supérieur de façon qu'il couvre également le chant des lambris.

7 Cachez le tasseau avec une moulure collée et finissez le travail en collant une plinthe en bas : aucun clou n'est visible.

POUR REMPLACER LE CARRELAGE

Dans la salle de bains, le lambris remplace avec bonheur le carrelage mural, à moins qu'il ne s'y juxtapose comme ci-contre, solution qui ne manque pas d'originalité. Si le lambris risque d'être éclaboussé, il faut le rendre étanche avec une ou plusieurs couches de peinture à l'huile.

LES PANNEAUX DE BOISERIE

OUTILLAGE

Mètre ruban
Scie égoïne
Pistolet à colle
Niveau à bulles
Scie à onglets

MATÉRIEL NÉCESSAIRE

Boiseries
Colle

VOIR AUSSI

Les lambris, pages 82 à 83

Les boiseries s'appliquent à l'horizontale dans les pièces, et en biais dans les escaliers. Leur motif peut se retrouver sur les portes et d'autres éléments décoratifs.

Les panneaux de boiserie produisent un effet différent des lambris, mais leur qualité décorative n'est pas moindre. Traditionnellement, c'était une technique réservée aux artisans qui demandait beaucoup de temps. Aujourd'hui, on trouve des éléments en kit permettant au bricoleur avisé d'obtenir le même résultat. Tous les éléments sont fournis dans le kit et faciles à poser. La majorité des ajustements sont désormais inutiles : grosso modo, il suffit de poser dans le bon ordre des éléments complets d'usine en suivant les instructions. Pour ce type de décoration, il est inutile de poser d'abord un cadre en liteaux.

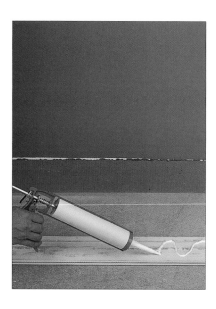

1 Pour poser le kit complet, retirez d'abord la vieille plinthe. Découpez la nouvelle à la bonne longueur et collez-la au mur au lieu de la clouer. Les panneaux sont prévus pour se glisser dans la plinthe.

2 Posez la nouvelle plinthe, appuyez-la bien contre le mur. Vérifiez au niveau à bulles l'horizontalité de la face supérieure : en effet, certains sols ne sont pas plans. Si nécessaire, corrigez légèrement l'assiette de la plinthe afin que sa face supérieure soit rigoureusement horizontale.

3 Au pistolet, garnissez de colle la face arrière des boiseries, mais seulement les parties qui touchent le mur.

4 Glissez la boiserie dans la plinthe et appliquez-la contre le mur en appuyant fermement. Dès lors que la plinthe a été posée correctement, la boiserie le sera également.

5 Pour faire la liaison entre deux boiseries, la plupart des kits proposent des raccords tout prêts : enduisez de colle le dos du raccord et encastrez-le dans la boiserie, la languette dans la rainure.

6 Continuez la pose ; coupez le dernier panneau à la bonne taille pour qu'il tienne exactement dans l'angle de la pièce. Avec une scie à onglets, coupez en biais l'extrémité du lambris d'appui afin qu'il se cale parfaitement dans l'angle.

7 Encollez le dos du lambris d'appui et présentez-le au-dessus de la boiserie ; dès que la colle est sèche, vérifiez qu'il ne reste ni trou ni fente entre les boiseries. S'il y en a, colmatez-les avant de peindre.

TRUCS ET ASTUCES

● Réfléchissez bien à l'endroit dont vous partez afin d'éviter des coupures disgracieuses. Le fait de démarrer de chaque côté d'une porte donnera une impression d'équilibre.

● Tâchez d'avoir un raccord au pied de l'escalier de façon à vous servir de demi-panneaux pour la pose dans l'escalier.

● Veillez à cacher les coupures disgracieuses dans les endroits les moins visibles de la pièce, ou derrière un meuble.

LES REVÊTEMENTS DE SOL : TECHNIQUES ET OUTILS

MESURER UNE PIÈCE

DIFFICULTÉ : faible
DURÉE : une demi-journée pour
une pièce de taille moyenne
OUTILS SPÉCIAUX : aucun
VOIR PAGES 96 à 97

Avant de poser un revêtement
de sol, il est important de
prendre de façon précise les
mesures de la pièce : c'est la
seule façon d'acheter la
quantité de matériaux voulue.
Des erreurs d'appréciation
peuvent coûter cher. En outre,
le sol doit être préparé de
façon convenable, selon
les types de matériau et
de revêtement envisagés.
Un sol en ciment inégal
doit être ragréé à la taloche ;
les planchers en revanche
peuvent avoir besoin d'une
sous-couche de contreplaqué
ou de panneau de fibres dur.

Il est important de bien
réfléchir avant de vous lancer :
il ne faut pas commencer
n'importe où la pose d'un
nouveau revêtement, surtout
si celui-ci est à carreaux. Dans
les pages qui viennent, nous
verrons par quel endroit de la
pièce commencer, comment
déterminer le centre de la pièce

et comment centrer les dessins
sur ce point. Pour l'aspect
définitif de votre travail, il
faut trouver un équilibre entre
carreaux entiers et carreaux
coupés. Enfin, il ne faut pas
perdre de vue que, si certaines
pièces sont de forme
relativement carrée, d'autres
sont pleines d'angles et de
recoins bizarres – les alcôves
par exemple – dont il faut tenir
compte dans les calculs,
notamment pour le nombre
de carreaux : on décompose
la pièce en carrés ou en
rectangles, à partir desquels
le travail s'exécute de la façon
habituelle.

Au prix où sont les
matières premières de nos
jours, les erreurs coûtent
cher. Si l'on coupe trop
court dans le rouleau de
revêtement en plastique
ou que l'on commence à
carreler à partir du mauvais
angle, il sera très difficile de
corriger par la suite. Par
conséquent, il faut prendre
le temps de vérifier
soigneusement les mesures et
l'ordre des tâches à accomplir
avant de commencer la pose
d'un revêtement.

LES DALLES DE VINYLE

DIFFICULTÉ : faible à moyenne
DURÉE : un jour pour une pièce
de taille moyenne
OUTILS SPÉCIAUX : cordeau à
poudre, spatule crantée, règle
métallique
VOIR PAGES 98 à 99

Les dalles en vinyle se posent
à même une chape dès lors
qu'elle est complètement
sèche ; elles peuvent aussi
se poser sur un support de
qualité en contreplaqué ou
en panneaux de fibres durs,
ainsi que sur des panneaux de
particules. La surface doit être
parfaitement plane pour que
l'adhérence soit parfaite. Le
calepinage le plus courant est
dit à fond perdu, c'est-à-dire
que tous les joints sont alignés ;
mais on peut préférer le
calepinage à joints contrariés.

De toute façon, il faut
commencer la pose au bon
endroit (voir pages 96 à 97). Le
cordeau à poudre est le
meilleur outil pour déterminer
le centre de la pièce : celui-ci
servira de point zéro à toutes
les mesures. En général, on
peut couper les dalles de vinyle
avec un cutter, mais les lames

s'émoussent vite : prévoyez
suffisamment de lames de
rechange pour mener le
travail à bien. Il est également
indispensable d'avoir une règle
métallique et une planche à
découper, afin de réaliser
les découpes avec autant
de précision que possible :
les bords mal coupés se
remarquent une fois le travail
terminé. Essuyez au fur et à
mesure la colle qui ressort,
avant qu'elle ne durcisse.

LE SOL EN PLASTIQUE

DIFFICULTÉ : élevée
DURÉE : un jour pour une pièce
moyenne
OUTILS SPÉCIAUX : aucun
VOIR PAGES 100 à 101

Les dalles de vinyle sont
du même plastique que le
revêtement de sol présenté
en rouleau, mais la
ressemblance s'arrête là :
les techniques de pose sont
différentes. Le substrat peut
être dans les deux cas du
ciment, du contreplaqué ou
des panneaux de fibres durs.
Mais tenez compte du fait que
les dalles se posent une par

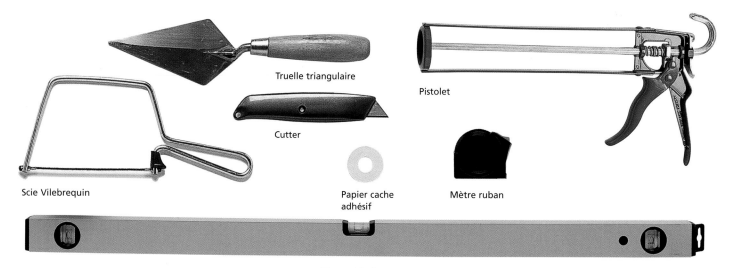

Truelle triangulaire

Cutter

Pistolet

Scie Vilebrequin

Papier cache
adhésif

Mètre ruban

Niveau à bulles

une, tandis que le revêtement de plastique se pose en général d'un seul tenant, sauf quand la pièce est trop grande : dans ce cas, on procède à un ou plusieurs raccords. Dans tous les cas, le plastique doit être découpé de façon précise afin de prendre parfaitement sa place.

Il est vivement conseillé de faire un gabarit du sol à couvrir : l'ajustement en sera facilité. Il est vrai que les professionnels n'ont pas besoin de ce subterfuge, mais en revanche il est bien utile pour l'amateur. Prenez donc le temps de faire un patron intégral en papier, et appliquez-vous pour le reporter sur le plastique. Assurez-vous que l'impression générale est équilibrée, en particulier lorsque votre revêtement comporte un motif directionnel. Vous pouvez utiliser du ruban adhésif double face pour coller la pièce de plastique le long de ses bords, mais ce n'est en général pas indispensable sauf à l'endroit des raccords. À propos, vos raccords seront toujours plus nets si vous juxtaposez deux bords coupés d'usine, et non deux bords coupés par vous qui seront toujours moins parfaits.

LA MOQUETTE À DOSSIER MOUSSE

DIFFICULTÉ : faible à moyenne
DURÉE : une demi-journée pour une pièce de taille moyenne
OUTILS SPÉCIAUX : ciseau à froid
VOIR PAGES 102 à 103

La moquette à dossier mousse est plus facile à poser que celle à dossier jute, mais les puristes soutiennent qu'il y a une grande différence de qualité. Ce n'est pas entièrement faux mais, depuis quelques années, la qualité des moquettes à dossier mousse s'est améliorée sans que leur prix atteigne celui de la moquette à dossier jute. En outre, il est inutile de poser une thibaude sous la moquette à dossier mousse, ce qui constitue une autre économie. Attention ! La moquette à dossier mousse exige un sol parfait car elle est relativement mince : le moindre défaut se verra et les taches d'usure s'y formeront rapidement.

On se sert de ruban adhésif double face pour fixer la moquette sur tout le périmètre de la pièce. Pour les surfaces très importantes, on posera de la même façon du double face à chaque raccord entre deux

lés. On commence par découper la moquette en laissant 4 ou 5 cm d'excédent de chaque côté, puis on l'arase de façon précise une fois en place. Le cutter est l'outil idéal pour exécuter ce travail.

LA MOQUETTE À DOSSIER JUTE

DIFFICULTÉ : moyenne
DURÉE : une demi-journée à un jour pour une pièce de taille moyenne
OUTILS SPÉCIAUX : coup-de-genou, ciseau à froid
VOIR PAGES 104 à 105

La pose de moquette à dossier jute demande plus de temps et d'efforts car, contrairement à la moquette à dossier mousse, elle exige la mise en place de liteaux d'ancrage pour recevoir la thibaude, qui est une sorte de molleton sur lequel repose la moquette proprement dite. Un autre inconvénient est que la moquette à dossier jute est plus difficile à poser : mais elle constitue un sol plus souple et plus confortable que la moquette à dossier mousse.

N'oubliez pas que la sensation sous le pied dépend de la qualité de la moquette et de l'épaisseur de la

thibaude sur laquelle elle va être fixée. Bien entendu, le meilleur résultat s'obtient avec des matériaux de bonne qualité, c'est-à-dire une moquette de laine avec un pourcentage important de fibres naturelles ; celle-ci conserve mieux sa forme qu'une moquette à base de fibres artificielles.

Une fois la moquette en place, il faut se servir d'un outil appelé coup-de-genou pour la tendre légèrement au-dessus des liteaux d'ancrage, sur tout le périmètre de la pièce. Comme la moquette peut légèrement s'étirer, on a une certaine marge pour araser les bords au dernier moment.

Une barre de seuil sera nécessaire à chaque porte, pour marquer la limite entre le sol d'une pièce et celui de la suivante. Le problème ne se pose évidemment pas s'il s'agit de la même moquette. En revanche, si le revêtement du sol change, il est nécessaire de marquer une limite nette à l'aide d'une barre de seuil que vous choisirez avec le plus grand soin, en fonction du style des deux pièces. Par exemple, on préfère dans certains cas une barre de seuil en métal chromé, dans d'autres une barre de seuil en bois paraîtra plus adaptée.

Lime à carrelage

Ciseau à froid

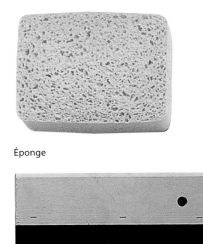
Éponge

Croisillons d'espacement

Raclette à barbotine

Spatule crantée

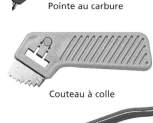
Pointe au carbure

Couteau à colle

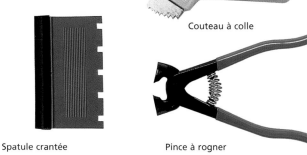
Pince à rogner

LE SOL CARRELÉ

DIFFICULTÉ : moyenne
DURÉE : un jour à un jour et demi en moyenne
OUTILS SPÉCIAUX : spatule crantée, carrelette
VOIR PAGES 106 à 107

La céramique étant plus lourde que le vinyle ou le liège, la technique de pose est un peu différente. Les carreaux de céramique peuvent se poser sur une semelle en béton recouverte d'enduit ou un plancher en bois, dès lors que l'on a placé une feuille de contreplaqué pour garantir la planéité, la rigidité et la stabilité du support.

Le plan de pose des carreaux de céramique est le même que pour le vinyle et le liège ; en revanche, il faut du mortier-colle à la place de la colle. Petite astuce : clouez dans le sol un tasseau provisoire le long de la ligne de base pour démarrer la pose de la première rangée sur un support fixe. Utilisez des croisillons pour conserver une distance égale entre les carreaux. Ceux-ci ne se coupent qu'avec une robuste carrelette, propre à venir à bout de l'épaisseur et de la solidité des carreaux de céramique.

Une fois posés, ils doivent être jointoyés, contrairement aux carreaux « mous » de vinyle ou de liège étroitement aboutés à chaque joint. La propreté du résultat final dépend de la netteté du jointoiement : c'est une étape cruciale pour la beauté de la finition.

LE SOL EN ARDOISE NATURELLE

DIFFICULTÉ : moyenne à élevée
DURÉE : un jour à un jour et demi par pièce en moyenne
OUTILS SPÉCIAUX : spatule crantée, scie au carbure
VOIR PAGES 108 à 109

La pose de l'ardoise naturelle se rapproche beaucoup de celle du carrelage, encore faut-il tenir compte de légères différences dans la composition et la structure des matériaux. Les carreaux d'ardoise n'ont pas toujours la régularité de forme et d'épaisseur des carreaux de céramique : il faut parfois modifier l'épaisseur du mortier-colle afin d'obtenir un sol aussi plan que possible. L'ardoise ayant un aspect plus artisanal, il convient de placer les carreaux à l'œil et non avec des croisillons.

L'ardoise est un matériau particulièrement dur : mieux vaut louer une scie au carbure pour la couper. Cette machine fait une coupe plus nette et plus précise que les outils à main : le travail est plus propre, les risques de casse sont moindres. S'il vous faut passer un produit de jointoiement, assurez-vous de ne pas en laisser sur les ardoises, pas plus que du mortier-colle.

LE PARQUET FLOTTANT

DIFFICULTÉ : faible à moyenne
DURÉE : une demi-journée à un jour en moyenne
OUTILS SPÉCIAUX : tire-lames
VOIR PAGES 110 à 111

Le plancher en bois constitue un beau sol, inusable et sans entretien. On trouve maintenant des kits de parquet en bois contrecollé et aussi des lames stratifiées. Ces dernières sont souvent plus brillantes. Leur installation se fait en pose flottante, c'est-à-dire que le parquet n'est pas fixé sur le support. Une sous-couche spéciale est en général posée en dessous avant de procéder à la pose.

Les éléments du kit s'assemblent avec des clips de fixation ou, comme dans notre exemple, avec de la colle et un système de rainures et languettes. Il est en général nécessaire de couper les éléments pour les ajuster à la longueur de la pièce ; on se sert d'un outil appelé tire-lames pour poser le

Ponceuse à parquet

Perceuse sans fil

Coup-de-genou

Gants protecteurs

Pinceaux

dernier élément en fin de rangée.

N'oubliez pas de mettre des cales tout autour de la pièce entre le sol et les murs. Cet espace de dilatation permettra aux éléments de jouer légèrement sans faire gondoler le parquet. En général, on couvre cet espace avec une moulure ou un quart-de-rond cloué directement sur la plinthe ou la base du mur.

LA PEINTURE DE SOL

DIFFICULTÉ : faible
DURÉE : un jour en moyenne
OUTILS SPÉCIAUX : néant
VOIR PAGES 112 à 113

Peindre le sol, c'est facile, c'est rapide et cela change assurément l'esthétique d'un sol précédemment nu. Les meilleurs résultats s'obtiennent en général sur plancher, mais on peut également peindre le béton ainsi que les panneaux de particules

et de fibres durs. On a le choix entre de nombreuses solutions, comme toujours en peinture : ne vous emballez pas trop vite et gardez toujours présent à l'esprit le style et l'atmosphère que vous désirez obtenir.

Dans l'exemple des pages 112 à 113, on a peint un motif afin d'introduire un effet de couleur sur le sol. Avec un ciseau à froid, on a tracé de faux joints pour améliorer le résultat final et offrir une démarcation nette entre les différentes couleurs utilisées dans la pièce.

N'oubliez pas qu'un sol, quelles que soient les précautions que l'on prend, finit par s'user : sachez que vous obtiendrez un résultat plus durable avec un vitrificateur qu'avec d'autres peintures comme la peinture-émulsion, qui présente l'avantage de sécher très vite. Naturellement, tenez compte de vos préférences : il se peut que vous recherchiez au contraire un effet vieilli.

LES FINITIONS DE LA POSE DE PARQUET

DIFFICULTÉ : faible
DURÉE : deux jours (ponçage le premier, finitions le second)
OUTILS SPÉCIAUX : ponceuse à parquet, ponceuse à bande, ponceuse d'angle
VOIR PAGES 114 à 115

Si vous avez un faible pour l'aspect naturel des veines du bois, il vous suffira de le poncer avant de le teindre ou de le vernir. Poncer un plancher est un travail qui exige la location d'une ponceuse à parquet, d'une ponceuse à bande et d'une ponceuse d'angle. C'est un travail salissant : enlevez, cachez ou protégez tout ce qui en a besoin.

Après ponçage, plusieurs possibilités s'offrent à vous : vous pouvez donner au bois naturel la couleur que vous souhaitez ; il existe des couleurs naturelles en grand nombre, et d'autres moins naturelles (bleu ou vert pâle par exemple, si vous aimez les sols

clairs) qui s'intègrent facilement à une palette de couleurs, constituant un lien indiscutable entre la couleur du sol et celle des murs.

N'oubliez jamais qu'un revêtement de sol s'use et qu'il nécessite un entretien régulier. Quelle que soit la qualité du matériau, il faut le protéger par une couche d'entretien qui devra être renouvelée régulièrement. Celle-ci n'a pas besoin d'être passée sur toute la surface du sol, mais là où se manifestent les premiers signes d'usure. Ces couches d'entretien ne peuvent s'appliquer que sur un sol parfaitement propre et sain, afin que l'adhérence soit parfaite entre la nouvelle couche et la surface du sol. Cette précaution simple vous permettra d'entretenir longtemps votre revêtement de sol sans bouleverser votre vie domestique, c'est-à-dire sans avoir à bouger vos meubles avec tout ce que cela comporte de conséquences exaspérantes.

Lunettes de sécurité

Ciseau à froid

Ponceuse vibrante

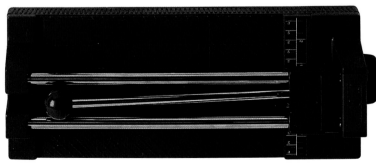

Carrelette

Marteau

TRACER LE PLAN D'UNE PIÈCE

TRUCS ET ASTUCES

● Laissez un passage entre la porte et chaque grande zone de travail.

● Laissez suffisamment de place autour de chaque meuble pour pouvoir l'utiliser facilement (par exemple : les portes des armoires et les tiroirs des commodes).

● Notez la hauteur des appuis de fenêtre pour déterminer ce qui peut tenir dessous.

● Les alcôves encadrant la cheminée ne sont pas nécessairement de la même taille : vérifiez !

● Placez d'abord les plus gros meubles (lits, sofas, etc.), que l'on ne peut pas mettre n'importe où.

● Vérifiez que les meubles transformables (canapés, table à rallonges) ont la place de se déployer.

● Vérifiez l'absence de reflet sur l'écran avant d'installer votre télévision.

● Placez les appareils électriques et de télécommunication à proximité de leurs prises respectives.

● Ne partez pas acheter des meubles ou des rideaux sans un plan coté de la pièce et un mètre ruban.

● Mesurez avec soin les portes intérieures et extérieures : aurez-vous la place de faire entrer chez vous ce lit, cette armoire ?

A vant de vous fixer sur une solution définitive, vous essaierez probablement plusieurs dispositions de meubles ; pour éviter achats inutiles et déménagements intempestifs, prenez le temps de faire un plan de la pièce pour envisager toutes les possibilités et éliminer d'emblée celles qui sont inexploitables.

Pour ce faire, tracez un plan coté de la pièce sur une grande feuille de papier millimétré ; vous y porterez non seulement toutes les mesures utiles, y compris celles des meubles encastrés, des radiateurs, des cheminées, mais aussi les prises électriques et téléphoniques, les tuyaux de plomberie si nécessaire et la place à laisser aux portes et fenêtres ouvrant sur la pièce.

PLACER LES MEUBLES

Une fois que vous aurez tracé un plan simple de la pièce à aménager, découpez dans du papier millimétré un plan de chaque meuble à la même échelle que vous pourrez déplacer à votre guise, et essayez différents emplacements jusqu'à trouver une disposition d'ensemble qui vous plaise vraiment.

◀ N'encombrez pas votre plan de détails inutiles, mais mesurez les saillies et les renfoncements si vous comptez y encastrer des meubles. Afin de constater l'encombrement des meubles que vous voulez installer, tracez les différentes diagonales par rapport au point le plus éloigné de la pièce.

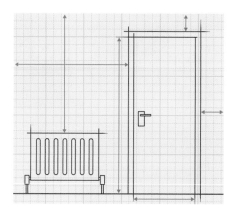

▲ Sur les plans en élévation, portez les éléments fixes et notez toutes les mensurations (hauteur et largeur) importantes : radiateurs, ouvertures…

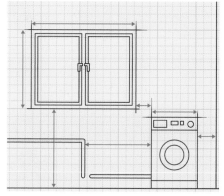

▲ Les éléments complexes tels que les arrivées d'eau, les évacuations et les appareils domestiques doivent être localisés de façon précise par rapport à la plomberie et aux ouvertures.

◀ L'erreur coûte cher. Dans cette cuisine mal conçue, la cuisinière chauffe le réfrigérateur et les tiroirs empêchent l'ouverture du four. Quant aux ustensiles de cuisine, ils sont dangereusement suspendus au-dessus des feux.

ÉTUDE DES VOLUMES

▲ Une réflexion poussée permet d'utiliser le moindre recoin. Pour libérer la salle de bains familiale, installez des toilettes d'appoint sous l'escalier. La cuvette des W.-C. n'a pas besoin d'une grande hauteur sous plafond, un simple lave-mains prend moins de place qu'un lavabo.

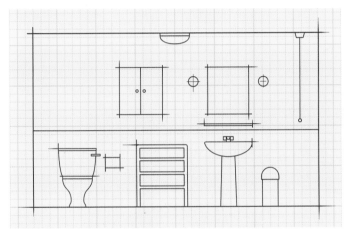

▲ Dans un espace très utilisé comme la salle de bains, un plan en élévation facilitera la localisation de tout ce qui est accroché au mur (armoire, porte-serviettes) par rapport aux éléments fixes comme la cuvette des toilettes et le lavabo.

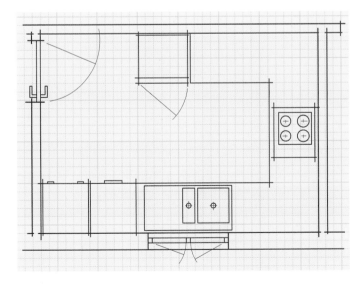

▲ Le plan doit comporter les éléments meublants et les appareils ménagers les plus importants. Ci-dessus, une cuisine ergonomique : le triangle de travail entre le réfrigérateur, la cuisinière et l'évier mesure moins de 4 m. L'ouverture des portes et fenêtres a été reportée (voir page 93).

▲ La porte pliante permet d'utiliser tout le volume de rangement à côté du lave-mains ; les panneaux en verre cathédrale translucides garantissent l'intimité tout en laissant passer un peu de lumière.

LES PLANS DE CUISINES

LISTE À VÉRIFIER

● Quelle est la taille de votre cuisine ? Est-elle un espace à vivre ou seulement un endroit où cuisiner ? Combien de temps y passez-vous ?

● Combien de personnes feront en même temps les repas et la vaisselle, serviront et desserviront ?

● Avez-vous des enfants ? Avez-vous besoin d'une chaise haute ?

● Pouvez-vous mettre ailleurs votre machine à laver, votre congélateur ?

● Avez-vous vraiment besoin d'un lave-vaisselle ? Avez-vous la place de tout ranger sans contorsions particulières ?

● L'éclairage est-il suffisant ? Vos plans de travail sont-ils bien éclairés ?

● Aimez-vous regarder à l'extérieur en faisant la cuisine ou la vaisselle ?

● Avez-vous besoin d'un évier simple ou double ? Avez-vous la place d'empiler et d'égoutter la vaisselle ?

● Les réseaux de plomberie et d'électricité sont-ils suffisants et à la bonne place ?

● Avez-vous assez de rangements ? Y a-t-il des coins perdus inutilisés ? Vos tiroirs sont-ils accessibles ?

● Recevez-vous beaucoup ? Aimez-vous avoir vos invités à côté de vous pendant que vous cuisinez ?

La cuisine est sans doute la pièce la plus importante de la maison : que vous ayez un simple coin cuisine ou une vaste pièce faisant office de salle à manger, il faut que votre cuisine soit bien agencée pour que vous profitiez au mieux de votre logis. D'abord, comment vivez-vous ? Quel genre de cuisine vous faut-il ? En fonction du volume disponible, choisissez les meubles, les rangements et l'équipement ménager qui conviendront le mieux. Modifiez si besoin la plomberie, l'éclairage, l'aération et le réseau électrique. Avec un peu de soin, vous en ferez un endroit fonctionnel, agréable et sûr.

UNE PETITE CUISINE À L'AMÉRICAINE

Aménagée dans un coin donnant sur un salon/salle à manger, cette cuisine ouverte très fonctionnelle s'intègre bien au reste de la pièce. Le meuble de rangement central sur roulettes est muni de portes des deux côtés et d'un plan de travail sur le dessus. On peut l'utiliser pour préparer et servir les repas. Il sépare la zone de travail sans isoler le cuisinier. La différence de sols sert également à marquer la différence de fonctions. On appréciera la présence de rangements ouverts et fermés : tiroirs, placards, étagères. Les armoires murales sur mesure exploitent le volume disponible à différentes hauteurs. Le réfrigérateur, l'évier et la cuisinière sont bien disposés les uns par rapport aux autres, et les prises de courant ne manquent pas.

Organiser sa cuisine

En traçant le plan de votre cuisine, respectez deux principes importants : le triangle de travail dont les sommets sont l'évier, la cuisinière et le réfrigérateur doit être dégagé et mesurer moins de quatre mètres ; ensuite, il faut garantir la continuité des opérations d'un repas : ranger, préparer, cuire, laver, servir, sortir. Prévoyez les rangements, surfaces de travail et appareils ménagers en conséquence. Il y a de nombreuses façons de gagner de la place : pensez par exemple à placer votre évier dans un angle, c'est une solution intéressante surtout si vous ne disposez que d'un espace restreint.

◄ ▼ Pour moderniser cette cuisine, on a conservé les placards en leur donnant un coup de peinture et de nouvelles poignées. On a dégagé du volume en remplaçant une armoire murale par une simple grille, et on a éclairé la pièce grâce à l'étagère, à la surface de travail et à la protection murale en verre.

Un plan de cuisine

La machine à laver est entre le lave-vaisselle et l'évier : toute la plomberie est du même côté.

Le réfrigérateur est loin de la cuisinière, il n'en sera que plus efficace.

Les placards de cuisine sont à la bonne hauteur pour un accès facile.

La paillasse est vaste et proche du réfrigérateur et de la cuisinière.

La hotte aspirante absorbe les odeurs.

La poubelle est placée dans un placard à côté de l'évier. L'arc d'ouverture de la porte est dégagé.

La robinetterie est à droite de l'évier, laissant ainsi l'espace nécessaire pour se mouvoir aisément.

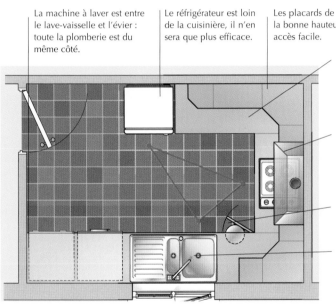

Plans de cuisines

Pour optimiser l'ergonomie de votre cuisine, réfléchissez à ce que vous y ferez et à l'ordre dans lequel vous le ferez.

Suspendez vos armoires murales à la bonne hauteur.

Cuisine en long
Tous les appareils sont le long du même mur ; vérifiez l'ordre des opérations citées plus haut.

Cuisine en large
Si vous avez la place de mettre des appareils le long de deux murs, vérifiez la règle du triangle.

Cuisine en L
Le triangle est sauf. Cette solution peut jouxter une salle à manger placée de l'autre côté d'une branche du L.

Cuisine en U
Le triangle est équilatéral, l'ergonomie est optimale.

Cuisine centrale
Cette solution convient aux pièces de très grande taille, qui peuvent également servir au rangement et comme salle à manger.

LES PLANS DE SALLES DE BAINS

LISTE À VÉRIFIER

● Est-ce que vous vous servez souvent de votre salle de bains ?
À quelle heure ?

● Avez-vous pensé à installer d'autres salles d'eau, par exemple une douche attenante à votre chambre ? Des W.-C. séparés ?

● Est-ce que votre plomberie est suffisante ? Avez-vous assez d'eau chaude, à la bonne pression ?

● Est-ce qu'il serait préférable de déplacer votre salle de bains ?

● De quel volume de rangement avez-vous besoin ?

● Souhaitez-vous acheter un nouveau jeu de sanitaires ?

● Quel type d'éclairage vous faut-il ?

● Avez-vous besoin de nouvelles installations : douche, porte-serviettes chauffant ?

● Êtes-vous satisfait du chauffage et de l'aération ?

● Avez-vous besoin d'une prise pour rasoir électrique ?

● Vous faut-il des aménagements particuliers pour vos enfants ou pour des personnes âgées ?

● Avez-vous besoin d'une salle de bains et d'une salle d'eau séparées ?

● Si votre salle de bains est de taille suffisante, pourquoi ne pas installer la baignoire au milieu, ou même quelques marches autour d'une baignoire encastrée ?

Souvent confinée dans un espace exigu, la salle de bains n'est pas toujours le lieu accueillant et fonctionnel qu'elle devrait être. Que d'erreurs dans l'installation des rangements et de l'éclairage, sans parler de l'aération… La salle de bains est une des pièces de la maison les plus difficiles à réussir.

Pour créer la salle de bains qui vous convient, il faut en repenser tout le volume disponible, reprendre à zéro l'agencement de la pièce, changer si nécessaire les sanitaires et le sol, voire la relocaliser. Pourtant, la modification de quelques détails suffit parfois à donner à cette pièce une vie nouvelle et à en faire un lieu confortable où il fait bon se prélasser. Rénovez les couleurs en repeignant les murs ou ajoutez un joli carrelage au bon endroit (voir pages 54 à 55) ; changez quelques poignées, ajoutez quelques accessoires élégants et soigneusement choisis, et le tour est joué.

CHAQUE CHOSE À SA PLACE

Faire d'un cagibi ingrat et exigu une salle de bains élégante et fonctionnelle, tel est le pari gagné ci-dessus. La baignoire d'angle s'encastre juste devant la fenêtre tandis que le lavabo occupe le centre d'une véritable paillasse, au-dessus d'un grand volume de rangement à tiroirs ; des deux côtés, la surface est importante, détail que l'on omet souvent, même dans des salles de bains plus vastes. On a encastré la chasse d'eau et ses canalisations, ce qui crée une étagère de plus au-dessus. La sobriété des couleurs et la simplicité du store ajoutent à l'ambiance lumineuse et aérée. Les accessoires chromés, l'étagère en verre et le vaste miroir renvoient eux aussi la lumière. Quelques accessoires de couleurs vives donnent une note de détente.

◀ Une paroi de briques en verre cathédrale désenclave un cabinet de toilette privé de lumière naturelle.

▶ Dans cette ancienne chambre transformée en salle de bains, la baignoire occupe la vedette. Notez l'emplacement du porte-serviettes chauffant à portée de main.

PLANS DE SALLES DE BAINS

Une salle de bains efficace exploite au mieux l'espace au sol et en hauteur. Le moindre recoin suffit à caser une baignoire, une douche et des rangements.

L'éclairage principal est placé dans un encastrement étanche au plafond.

La douche à haute pression se cache derrière une porte en verre incassable : celle-ci ne s'ouvre que vers l'intérieur pour gagner de la place. Les commandes sont à portée de main et la hauteur du pommeau est réglable.

Au-dessus du carrelage de la baignoire, du papier peint en vinyle facile à nettoyer.

Le rangement encastré du sol au plafond comprend une partie fermée en bas, surmontée d'étagères pour les objets d'usage courant.

La baignoire tient facilement entre la douche et le rangement ; elle est équipée d'une solide main courante.

Une petite armoire fixée au mur permet de ranger les produits pharmaceutiques hors de portée des enfants.

Le porte-serviettes chauffant est accessible, que l'on soit dans la baignoire ou devant le lavabo.

En guise d'interrupteur pour le plafonnier, un cordon à côté de la porte.

Le miroir est paré d'ampoules éclairant bien le visage.

Le lavabo large et profond, équipé d'un mitigeur, est bien dégagé. L'étagère montée juste au-dessus permet de poser quelques articles de toilette.

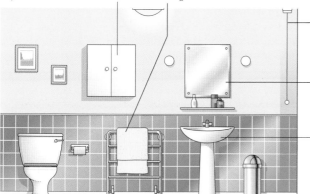

ORGANISER L'ESPACE

● Pour fixer un lavabo à la bonne hauteur, réunissez vos mains en coupe devant vous, les bras bien tendus vers le sol et les épaules droites. La distance qui sépare vos mains du sol est la hauteur du trou de vidange.

● Devant une baignoire, laissez un espace libre égal à sa largeur.

● Il faut laisser 20 cm de libre autour du siège des toilettes.

● Les baignoires et lavabos d'angle permettent d'utiliser des recoins difficiles d'accès. Quant aux lavabos et sièges de toilette suspendus, ils permettent de dégager de la surface au sol.

Lavabo
On a besoin de place autour du lavabo pour se laver confortablement.

MESURER UNE PIÈCE

MATÉRIEL NÉCESSAIRE

Ragréage d'une dalle en béton
Seau, truelle et enduit de ragréage

**Pose d'une feuille
de contreplaqué**
Contreplaqué et clous
Marteau et scie égoïne

**Pose d'un panneaux
de fibres dur**
panneaux fibres durs et clous
ou agrafes
Marteau ou agrafeuse, cutter

Mesurer une pièce en vue d'en refaire le sol, ce n'est pas sorcier ; mais il faut impérativement prendre des mesures précises pour calculer la surface au sol. À partir de là, vous pourrez évaluer la quantité de matériaux nécessaires, faire votre choix et procéder aux achats. Une fois de plus, il est fondamental d'assurer une bonne préparation, notamment pour faire en

sorte d'obtenir un sous-plancher stable. Ce dernier doit être adapté au nouveau sol : vinyle, carrelage ou moquette (voir pages 98 à 111).

Quel que soit le revêtement que vous aurez choisi, suivez scrupuleusement les instructions du fabricant. Meilleure sera la préparation, plus facile sera la pose elle-même et plus longtemps durera le résultat.

RAGRÉAGE D'UNE DALLE EN BÉTON

Avant de poser un sol quelconque sur une dalle en béton, il faut boucher les trous et les fissures. Le mortier idéal se compose d'une part de ciment pour cinq parts de sable. Faites bien pénétrer le mortier au fond des trous, et lissez-le avant qu'il ne sèche.

POSE D'UN PANNEAU DE CONTREPLAQUÉ

Sur du plancher, il faut interposer un panneau de contreplaqué avant de poser du carrelage, ou des dalles de sol en liège ou en moquette. Clouez solidement le contreplaqué pour obtenir une base rigide. Coupez les feuilles de contreplaqué à la scie pour qu'elles aient la bonne taille, et décalez les joints.

POSE D'UN PANNEAU DE FIBRES DUR

Sous le vinyle ou la moquette, posez un panneau de fibres dur. Fixez-le avec des agrafes ou des clous directement sur le plancher. Décalez les raccords et posez toujours le côté lisse vers le haut. Découpez le panneau au cutter.

TRUCS ET ASTUCES

● C'est à la scie égoïne que l'on coupe le contreplaqué, mais au cutter que l'on coupe un panneau de fibres dur ; pour ce dernier, on commence par tracer un trait de crayon puis on pratique une entaille au cutter et on casse le long de la ligne.

● Quand on cloue le contreplaqué ou un panneau de fibres, il faut que le clou pénètre franchement dans le plancher, mais pas plus loin : il risquerait de perforer des tuyaux ou des câbles électriques.

LE CARRELAGE : PAR OÙ COMMENCER

1 Pour déterminer le centre de la pièce, mesurez et plantez un petit clou au centre de chaque mur. Tendez le cordeau à poudre entre les clous de deux murs opposés. Pincez la ficelle et relâchez-la d'un coup sec. Vous aurez tracé la ligne **A**. Recommencez l'opération avec les deux autres murs pour la ligne **B**. Le point d'intersection est le centre de la pièce. Posez le carreau n° **1** à sec dans un des angles droits ainsi formés.

2 De proche en proche, placez le dernier carreau entier de cette colonne.

3 Tracez à cet endroit une ligne parallèle à la ligne **A**. Puis, déterminez l'emplacement du dernier carreau pouvant être posé sans coupe.

4 Enduisez de mortier-colle et posez les carreaux à partir du n° **3** ou du n° **4**. Posez des rangées entières, puis posez les carreaux coupés le long des bords.

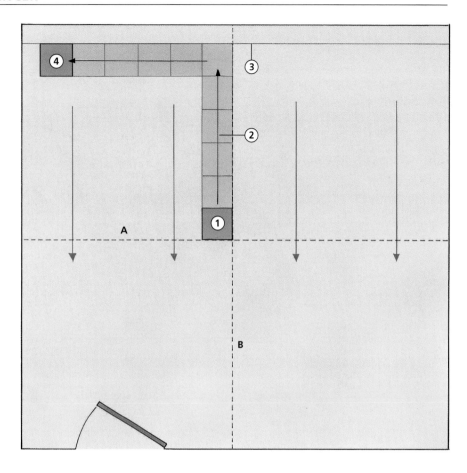

LES PIÈCES DE FORME PARTICULIÈRE

1 Si la pièce comporte des recoins, il faut tracer plusieurs lignes avec le cordeau à poudre. Ici, on commence par le milieu des murs courts ; pour trouver la place du clou sur le mur long, on reporte sur celui-ci la demi-longueur du mur court opposé.

2 et **3** Mesurez et placez les carreaux de la colonne 1, puis tracez comme ci-dessus une ligne à la craie parallèle au mur.

4 En partant des positions **3** et **4** comme précédemment, posez les carreaux par rangées entières en vous rapprochant progressivement de la porte, pour éviter de rester coincé.

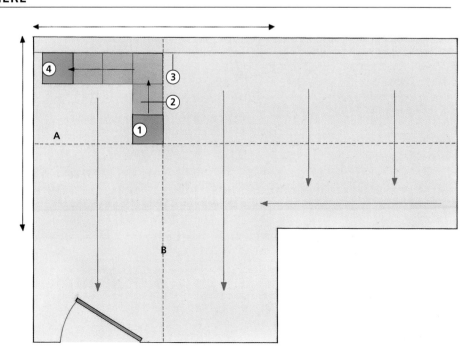

LES DALLES DE VINYLE

OUTILLAGE

Cordeau à poudre
Mètre ruban
Crayon
Spatule crantée
Planche à découper
Cutter
Règle métallique

MATÉRIEL NÉCESSAIRE

Dalles de vinyle
Colle pour revêtement

VOIR AUSSI

Mesurer une pièce,
pages 96 à 97

L'élégance de ces dalles de vinyle en faux marbre apporte une touche de raffinement, sans le froid que de vraies dalles de marbre laisseraient sous les pieds.

Les dalles de vinyle constituent un sol agréable, résistant et d'entretien facile, convenant particulièrement à la cuisine et à la salle de bains ; leur usage se répand rapidement car des fabricants inventifs fournissent des gammes de plus en plus variées de couleurs et de motifs. Réfléchissez bien avant de choisir le calepinage en fonction de l'effet recherché. Les dalles peuvent être jointoyées côte à côte ou en décalé. Posez vos dalles sur une couche de contreplaqué ou de panneau de fibres dur. Vérifiez le mode d'emploi du fabricant pour voir si vous devez passer une couche d'apprêt avant de poser les dalles, ou prendre des précautions particulières.

1 Marquez le centre de la pièce en vous aidant d'un cordeau à poudre. À partir du centre, déterminez la dalle de départ en les posant côte à côte à sec (voir schéma page 97).

2 À cause du calepinage choisi, le carreau de départ est légèrement décalé par rapport à la rangée suivante. Cela confirme l'intérêt qu'il y a à poser d'abord les dalles à sec (sans colle) afin de déterminer le meilleur point de départ.

3 Quand vous êtes satisfait de l'effet obtenu, marquez au crayon l'emplacement de la première rangée de dalles entières : vous poserez plus tard les dalles à couper.

4 Retirez toutes les dalles posées à sec et, avec une spatule crantée, étalez la colle. Suivez soigneusement le trait de crayon. Encollez une surface correspondant à trois ou quatre dalles à la fois.

5 Appliquez la première dalle en suivant scrupuleusement le trait de crayon. Prenez votre temps, tout le reste du travail dépend de cette première dalle. De proche en proche, posez une rangée après l'autre, en vous contentant des dalles entières.

6 Occupez-vous des bords en posant les dalles coupées. Pour mesurer celles-ci, posez une dalle entière sur la dalle la plus proche déjà posée, et une autre dalle par-dessus calée contre la plinthe. Tracez un trait de crayon en vous guidant sur le bord de la dalle supérieure.

7 Posez sur la planche à découper la dalle marquée du trait de crayon. Griffez le long de la ligne avec un cutter, en vous appuyant contre une règle métallique. Cassez la dalle en la pliant, enduisez l'envers de colle et posez-la à sa place. Continuez en faisant le tour de la pièce.

TRUCS ET ASTUCES

Une fois vos dalles de vinyle posées dans une pièce susceptible d'être éclaboussée – cuisine ou salle de bains –, il est bon de terminer par la pose d'un joint d'étanchéité le long des plinthes afin d'éviter les infiltrations d'eau. Celles-ci risqueraient de provoquer de vilaines cloques et de fâcher les voisins du dessous. Les produits d'étanchéité au silicone conviennent parfaitement à la pose de ce type de cordon au pistolet, à la jointure entre la dalle et la plinthe. Pour que la finition soit impeccable, posez le cordon de silicone entre deux rubans de papier cache peu adhésifs, placés l'un sur la plinthe et l'autre sur les dalles. Attendez que le silicone soit sec pour retirer les deux rubans de papier cache.

LE SOL EN PLASTIQUE

OUTILLAGE

Vieux journaux
ou papier kraft
Ruban adhésif
ou papier cache
Crayon
Ciseaux
Cutter

MATÉRIEL NÉCESSAIRE

Rouleaux de vinyle
Colle pour revêtement
de sol

*Le vinyle de bonne qualité
constitue un revêtement
souple et confortable,
d'entretien facile.*

Le vinyle en grands rouleaux rappelle les dalles de même matériau par le confort qu'il offre sous les pas. Mais, comme les surfaces utilisées sont grandes (surtout dans des pièces de bonne taille), la découpe doit être très précise : la pose de ce type de revêtement ne doit pas être entreprise n'importe comment. Le travail doit être calculé avec soin et la tâche est particulièrement délicate si les motifs doivent être alignés avec les murs de la pièce. Dans ce cas, il est indispensable de rechercher un effet d'équilibre. Dans l'exemple ci-dessous, il est évident que les joints doivent être parallèles aux murs de la pièce.

1 La meilleure façon de couper votre vinyle à la bonne taille, c'est de faire un gabarit du sol à couvrir avec de vieux journaux ou du papier kraft. Posez les différents morceaux sur le sol de la pièce, et réunissez-les avec du ruban adhésif.

2 Marquez le pli le long des plinthes, et tracez un trait de crayon dans le creux. Découpez de façon très précise le long des lignes au ciseau : vous avez votre gabarit.

3 Fixez le gabarit sur le vinyle, puis découpez le long des bords en laissant une marge de 5 à 8 cm. Cette opération est plus facile si elle se déroule dans une pièce plus grande, où tout le vinyle tient à plat. Si nécessaire, protégez le revêtement de la pièce qui vous sert d'atelier avant de couper le vinyle au cutter.

4 Retirez le gabarit et mettez le vinyle en place, en laissant l'excédent monter légèrement le long des plinthes. Marquez le pli dans l'angle entre la plinthe et le sol, et coupez précisément dans le creux afin que le vinyle s'applique exactement contre la plinthe.

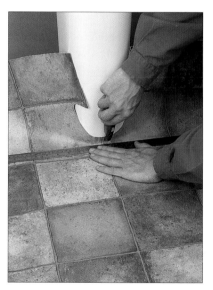

5 Autour d'un obstacle tel qu'un pied de lavabo, faites une série de découpes en étoile à angle droit afin de marquer le pli de façon exacte.

6 Appuyez bien dans le creux les parties du vinyle qui doivent s'appliquer contre l'obstacle, et coupez chaque languette en excédent d'un coup de cutter. Une fois fait le tour de l'obstacle, continuez à couper le vinyle le long des plinthes.

7 S'il faut des raccords, aboutez deux bords coupés en usine et non vos propres découpes : le raccord se verra moins. Naturellement, tenez compte du dessin. Posez une bande de colle là où les deux rouleaux de vinyle doivent se rejoindre, ou utilisez du ruban adhésif double face.

TRUCS ET ASTUCES

● Il n'est pas indispensable de coller le vinyle, surtout s'il est épais. Mais vous pouvez coller les bords afin qu'ils ne bougent pas. Posez simplement une bande de colle comme à l'étape n° 7. Une fois que vous avez coupé le vinyle à la bonne dimension, soulevez-le en partant des bords, posez la bande de colle et appliquez de nouveau le vinyle à sa place.

● La colle est également nécessaire dans les escaliers : si on ne l'y fixe pas, le vinyle risque de glisser et de se retrouver sur le palier inférieur.

LA MOQUETTE À DOSSIER MOUSSE

OUTILLAGE
Cutter
Ciseau à froid

MATÉRIEL NÉCESSAIRE
Adhésif double face
Moquette à dossier mousse

La moquette à dossier mousse est le sol idéal des chambres, pièces où l'on marche volontiers pieds nus et dont on apprécie le confort.

La moquette est confortable, douce sous les pieds et elle améliore l'insonorisation, ce qui est utile dans bien des demeures. D'une façon générale, étant donné la surface recouverte, c'est la moquette qui fait le style. La majorité des moquettes se présentent sous deux formes : sur dossier mousse ou sur dossier jute. La moquette à dossier mousse est moins chère que celle à dossier jute (voir pages 104 à 105), elle est en outre plus facile à poser et exige moins de préparation avant la pose. En revanche, dans l'ensemble, les moquettes à dossier jute sont de meilleure qualité.

Dans les deux cas, le choix est considérable, ainsi que l'éventail des prix : décidez de votre budget et choisissez votre revêtement de sol en fonction de vos possibilités.

Si vous optez pour une moquette à dossier mousse, il est inutile de poser une thibaude avant. Autrefois, on posait souvent une feuille de papier journal en guise de sous-couche mais, avec les moquettes modernes, cette précaution est désormais inutile.

Si la pose de la moquette se fait sur du plancher – plus ou moins plan –, mieux vaut commencer par interposer des panneaux de fibres durs, cela augmentera la longévité de votre revêtement. Pour les techniques de préparation, voir pages 96 à 97.

1 Posez autour de la pièce une bande d'adhésif double face, mais ne retirez pas le film protecteur supérieur. C'est ce ruban adhésif qui tiendra la moquette en place une fois posée.

2 Déroulez votre moquette à dossier mousse et mettez-la plus ou moins à sa place, en poussant l'excédent contre les plinthes. Tendez la moquette sur l'ensemble de la pièce. Vérifiez que l'ensemble du sol à couvrir est sous la moquette avant de passer à l'étape suivante.

3 Aplanissez bien la moquette et coupez-la à la périphérie en laissant 2 à 5 cm d'excédent à l'angle des plinthes avec le sol. Effectuez la découpe au cutter. Soulevez le bord de la moquette, ôtez cette fois le second film protecteur de l'adhésif double face, reposez la moquette sur l'adhésif et appuyez bien.

4 En faisant le tour de la pièce, aplanissez et tendez la moquette le long des plinthes et dans les coins. Appuyez fermement pour que la mousse adhère bien au ruban adhésif.

5 Effectuez la dernière découpe afin d'assurer un contact parfait contre les plinthes. Faites cette découpe au cutter, en veillant à ne pas endommager la plinthe.

6 Repassez bien tous les bords pour que rien ne dépasse, corrigez les ajustements. Assurez la finition au ciseau afin de bourrer le bord de la moquette contre la plinthe, en la tassant vers le bas.

7 Partout où vous avez dû faire des raccords – notamment si la pièce est très grande –, tâchez d'abouter les bords coupés en usine et non ceux coupés par vous. Posez sous le raccord une bande d'adhésif double face, puis ôtez le film protecteur supérieur et appuyez fortement la moquette à sa place au niveau du raccord.

TRUCS ET ASTUCES

Une fois la moquette posée, assurez-vous qu'il n'y a pas de « grimace » le long des plinthes. La moquette tend à s'effilocher partout où la coupe n'est pas nette. Au cutter, faites le tour de la pièce et coupez le moindre fil jusqu'à ce que le coup d'œil soit irréprochable. Les mêmes vérifications sont conseillées après la pose d'une moquette à dossier jute. Vérifiez également que les bords ont bien été rabattus vers le bas, contre la plinthe.

LA MOQUETTE À DOSSIER JUTE

OUTILLAGE

Marteau
Cutter
Coup-de-genou
Ciseau à froid

MATÉRIEL NÉCESSAIRE

Liteaux d'ancrage
Thibaude
Moquette à dossier jute

En posant la même moquette dans plusieurs pièces contiguës, on garantit l'unité de style.

La moquette à dossier jute est de meilleure qualité et plus durable que celle à dossier mousse ; cette différence se retrouve dans le prix. Même si vous optez pour une moquette à dossier jute bon marché, vous devrez quand même poser d'abord une thibaude et des liteaux d'ancrage, ce qui augmente la dépense. Mais vous aurez fait un travail durable. La thibaude se pose directement sur la plupart des sols, notamment les chapes de béton proprement ragréées, les planchers, le contreplaqué, les panneaux de fibres durs et de particules.

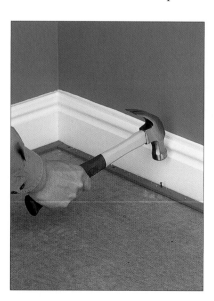

1 Autour de la pièce, clouez des liteaux d'ancrage le long des plinthes et en travers des portes. Laissez 5 mm entre les liteaux et les plinthes. Attention à ne pas donner des coups de marteau contre les plinthes, cela les éraflerait.

2 Déroulez la thibaude par terre, aboutez les lés comme il convient. Ne recouvrez pas les liteaux d'ancrage : découpez l'excédent au cutter au ras des liteaux.

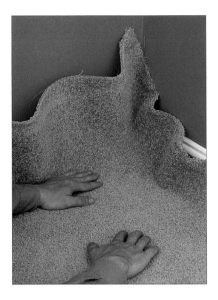

3 Placez la moquette dans la pièce en laissant l'excédent contre les plinthes. Au cutter, enlevez ce qui dépasse au-dessus des plinthes.

4 Marquez le pli dans l'angle et, toujours au cutter, coupez au ras de la plinthe. La moquette à dossier jute est parfois très rigide, prenez soin de bien la pousser jusqu'au fond avant de couper.

5 Pour une pose irréprochable, il faut tendre la moquette avec un coup-de-genou. La longueur des dents du coup-de-genou se règle selon l'épaisseur des poils de la moquette. Tournez le bouton sur le dessus de l'appareil jusqu'à obtenir la bonne longueur de dents.

6 En partant du centre, poussez la moquette vers chaque mur avec le coup-de-genou. Ne tendez pas la moquette à l'excès, assurez-vous qu'elle repose bien à plat.

7 Dans l'angle entre le sol et la plinthe, poussez le bord de la moquette avec un ciseau à froid : ainsi, la moquette se coince derrière le liteau d'ancrage.

HARMONIES DE COULEURS

La moquette joue un rôle important dans la palette de couleurs de la pièce. En effet, elle recouvre une surface notable. Choisissez la couleur de la moquette dès le début de la création de la palette. Plus la moquette est de couleur vive, plus les murs doivent être discrets.

LE SOL CARRELÉ

Les carreaux de céramique sont inusables et d'entretien facile, les rendant idéaux à la cuisine.

La céramique est l'un des revêtements de sol les moins fragiles. Il existe des carreaux de toutes les tailles, formes et couleurs. On en trouve de couleur unie, d'autres sont peints à la main. Les différences de qualité sont énormes : ne posez jamais au sol des carreaux prévus pour les murs. Tenez compte de l'épaisseur des carreaux, ils pourraient empêcher une porte de s'ouvrir.

Une fois posés, les carreaux de céramique n'ont besoin que de jointoiement. Attention : il faut les poser sur une base solide ; la meilleure est une chape de béton ; sur du plancher, il suffit d'interposer une feuille de contreplaqué. Certains fabricants préconisent d'interposer un enduit souple entre les couches de colle avant la pose ; mais ce n'est pas toujours nécessaire. Pour poser du carrelage, il faut absolument lire le mode d'emploi du fabricant et s'y conformer.

Préparez bien le travail à l'avance : les erreurs sont difficiles à corriger une fois le revêtement posé. Vous ne pourrez vous passer d'une carrelette de qualité, car beaucoup de carreaux sont épais et difficiles à casser. Dans certains cas, il faut louer une scie au carbure (voir pages 108 à 109).

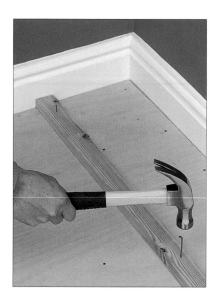

1 Déterminez l'emplacement du premier carreau à poser (voir croquis page 97). Le mieux est de clouer un tasseau qui vous servira de cale sur laquelle va s'appuyer la première rangée de carreaux.

2 Enduisez le sol de mortier-colle sur une longueur de 1 m et sur la largeur d'un carreau. Servez-vous d'une spatule crantée à denture large : les sillons seront suffisamment profonds pour que les carreaux adhèrent bien au contreplaqué.

3 Placez le premier carreau et appuyez bien contre les tasseaux, avec un léger mouvement de balancement de la droite vers la gauche afin d'assurer une adhérence parfaite. Ne le bougez pas trop quand même, il faut que la couche de mortier-colle reste homogène.

4 Vous pouvez alors poser les carreaux voisins en interposant des croisillons afin d'avoir une largeur de joint constante dans toute la pièce. De temps en temps, vérifiez l'horizontalité avec un niveau à bulles pour ne poser aucun carreau de travers.

5 Une fois tous les carreaux entiers posés, laissez sécher le mortier-colle puis revenez sur le chantier pour poser les carreaux à couper. Mesurez leur taille carreau par carreau avec un mètre ruban, et tracez sur chaque carreau un trait de crayon.

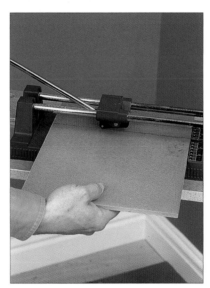

6 Posez le carreau sur la carrelette, griffez la surface avec le diamant. En un seul passage de la meule, il faut marquer la surface vernie du carreau en laissant une ligne nette. Placez alors le carreau entre les glissières et baissez le bras pour effectuer la cassure.

7 Enduisez le dos du carreau de mortier-colle et posez-le. Posez les autres carreaux. Une fois le mortier-colle sec, préparez le produit de jointoiement et remplissez les joints dans toute la pièce. Essuyez l'excédent avec une éponge propre et humide avant séchage. Finissez avec un lisseur de joints (voir trucs et astuces).

TRUCS ET ASTUCES

● C'est la qualité du jointoiement qui fait celle de la finition. Retirez l'excédent avec une éponge propre et humide, puis passez un lisseur de joints pour donner un effet homogène.

● Si vous n'avez pas de lisseur de joints, servez-vous d'un petit objet à l'extrémité cylindrique, comme une cheville en bois. Il s'agit d'obtenir un fond de joint légèrement concave et bien régulier dans toute la pièce.

LE SOL EN ARDOISE NATURELLE

OUTILLAGE

Pinceau
Gants de protection
Spatule crantée
Tasseau en bois
Croisillons d'espacement
(facultatif)
Cordeau à poudre
Crayon
Mètre ruban
Niveau à bulles
Scie au carbure
Lunettes de protection
Raclette à barbotine
Éponge
Lisseur de joints ou petite
cheville en bois

MATÉRIEL NÉCESSAIRE

Dalles d'ardoise
Mortier-colle
Vernis adapté
Produit de jointoiement

VOIR AUSSI

Mesurer une pièce,
pages 96 à 97

Les couleurs passées de l'ardoise ont une élégance naturelle qui offre un cadre de qualité pour les autres éléments décoratifs de la pièce.

On ne pose pas tout à fait de la même façon des carreaux de céramique parfaitement normalisés et des carreaux d'ardoise, qui sont inégaux sinon par leur surface du moins par leur épaisseur. Les ardoises sont en principe livrées brutes : il faut donc les vernir d'une façon ou d'une autre avant la pose.

L'ardoise se pose sur une base solide, de préférence une chape de béton ; mais le contreplaqué épais fait aussi l'affaire s'il est parfaitement rigide : il ne doit pas s'affaisser ici ou là. Pour trouver la position de départ, référez-vous au croquis de la page 97 et ajustez la position des carreaux afin d'avoir des coupes équilibrées autour de la pièce. Attention à ne pas laisser tomber les ardoises : elles s'ébrèchent facilement ; leurs qualités mécaniques ne s'apprécient qu'une fois solidement posées et jointoyées.

1 Avant la pose, vernissez les ardoises avec un produit approprié : elles seront ainsi protégées des bavures de mortier-colle, très difficiles à retirer de l'ardoise nue. Protégez-vous les mains avec des gants.

2 Déterminez le centre de la pièce et posez la première rangée d'ardoises (voir page 97) en les calant contre un tasseau, après avoir enduit le sol de mortier-colle (voir étapes n° 1 et n° 2 page 106). Il n'est pas indispensable de poser des croisillons, de petites différences d'épaisseur entre les joints ne gâteront pas le résultat définitif.

3 Une fois quelques ardoises posées, vérifiez l'horizontalité avec un niveau à bulles. Ne vous fiez pas aux inégalités de surface, mais veillez à la planéité de l'ensemble.

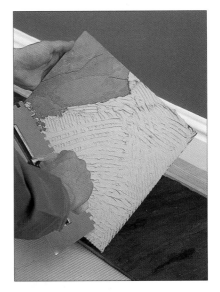

4 Du fait de légères différences d'épaisseur d'un carreau à un autre, modulez au besoin la couche de mortier-colle : décollez l'ardoise trop enfoncée pour rajouter du mortier-colle dessous.

5 Une fois les ardoises entières posées et le mortier-colle sec, posez les ardoises coupées. Mesurez-les une par une (voir étape n° 5 page 107). Mettez des lunettes de protection et coupez les ardoises à la bonne taille avec une scie au carbure (dite coupe-carreaux), que l'on peut louer dans les centres spécialisés.

6 Jointoyez les carreaux comme d'habitude, avec un produit de jointoiement conseillé pour l'ardoise. Faites bien pénétrer le produit dans chaque joint, essuyez l'excédent avec une éponge humide avant séchage, et lissez chaque joint avec un lisseur de joints ou une cheville en bois.

7 Une fois les joints secs, passez éventuellement une nouvelle couche de vernis : le travail est fini. Repassez une couche de vernis de temps en temps.

TRUCS ET ASTUCES

La couleur de l'ardoise peut fortement changer d'un carreau à un autre : c'est ce qui fait la beauté de ce revêtement. Vérifiez néanmoins que vos ardoises font partie du même lot. Même si c'est le cas, la couleur peut varier d'une boîte à une autre : au moment de la pose, veillez à alterner des ardoises provenant de différentes boîtes pour éviter d'avoir une juxtaposition de surfaces monochromes.

LE PARQUET FLOTTANT

OUTILLAGE
Mètre ruban
Cales en bois
Marteau
Bloc de bois
Éponge
Scie égoïne
Tire-lames à parquet
Crayon
Chasse-clou

MATÉRIEL NÉCESSAIRE
Sous-couche en rouleau
Lames de parquet flottant
Colle à bois
Moulure
Clous

On trouve des planchers vitrifiés dans toutes sortes d'essences et de dessins.

Le plancher flottant a depuis quelques années beaucoup gagné en popularité, en grande partie à cause du peu d'entretien qu'il réclame. Facile à poser, il s'intègre aussi bien dans un style moderne que traditionnel. Selon les fournisseurs, les techniques de pose peuvent varier légèrement : suivez à la lettre le mode d'emploi. En général, le plancher est dit flottant, c'est-à-dire qu'il n'y a pas de lien physique entre le plancher et le sous-plancher. Ainsi le plancher peut-il se dilater et se contracter légèrement selon l'humidité, sans gondoler.

La pose peut se faire pratiquement sur n'importe quelle base : par exemple sur le béton, auquel cas prenez soin d'attendre le séchage complet – qui peut prendre plusieurs mois – avant de poser un plancher flottant. Si la base est un plancher, du contreplaqué, des panneaux de particules ou de fibres durs, il est important de le fixer solidement. Dans l'exemple ci-dessous, on a préféré conserver la plinthe d'origine. Dans d'autres cas, il est conseillé de déposer les plinthes et de les remettre en place après la pose du plancher, ce qui supprime la nécessité d'une moulure en quart-de-rond (voir étape n° 7 page ci-contre).

1 En général, le plancher flottant doit se poser sur une sous-couche en rouleau qui sert d'amortisseur entre le plancher flottant et sa base. Il suffit de dérouler la mousse et d'en abouter les morceaux par terre. Sauf exception, il n'est pas nécessaire de la fixer avec de la colle ou du ruban adhésif.

2 En commençant le long d'un mur, placez les premiers éléments de plancher contre la plinthe. Avec des cales, ménagez un écart constant entre le plancher et la plinthe : c'est l'espace dont a besoin le plancher pour se dilater quand il fait humide.

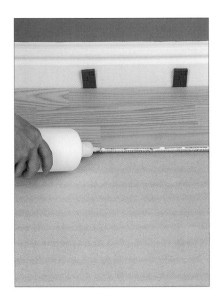

3 Dans notre exemple, les éléments s'emboîtent grâce à un système de rainures et de languettes. Déposez un filet de colle à bois au-dessus de la languette en veillant à ne pas baver sur le dessus de la latte.

4 Mettez en place l'élément suivant en frappant à coups de marteau sur un bloc de bois, jusqu'à ce que la languette ait pénétré dans la rainure. Ne tapez pas directement sur le plancher, cela endommagerait la languette. Veillez à décaler les joints des éléments successifs.

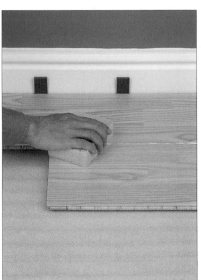

5 Inévitablement, vous avez fait baver la colle : ôtez-la immédiatement avec une éponge humide. Ne tardez pas : vous auriez le plus grand mal à retirer la colle sèche.

6 Allez jusqu'à la plinthe suivante et découpez le dernier élément à la bonne taille. Forcez celui-ci à sa place avec un tire-lames spécial que vous frappez au marteau.

7 Une fois le plancher posé, retirez les cales et cachez l'intervalle avec un quart-de-rond, à clouer non sur le plancher mais toujours sur la plinthe. Enfoncez les clous avec un chasse-clou, bouchez le trou, poncez et passez une couche de peinture ou de vernis.

TRUCS ET ASTUCES

Le plancher flottant présente plusieurs avantages par rapport au plancher nu, notamment l'isolation phonique. On a du mal à croire qu'un plancher puisse arrêter le bruit mais, du fait qu'il flotte, on peut installer en dessous une sous-couche phonique qui évite aux sons de se propager vers le bas. Le même résultat serait laborieux à obtenir avec du plancher normal, car il faudrait le retirer pour poser dessous une couche d'insonorisation.

LA PEINTURE DE SOL

OUTILLAGE

Marteau
Chasse-clou
Ciseau à froid
Ponceuse à parquet
ou vibrante
Chiffon
Pinceau
Petit pinceau d'artiste
Joints de calfatage
Pistolet

MATÉRIEL NÉCESSAIRE

Couche primaire
Peinture spéciale pour sol
(deux couleurs) ou
peinture-émulsion (deux
couleurs) et vitrificateur
Produit de calfatage

En peignant une frise décorative autour d'un plancher peint, on le met davantage en valeur en créant une touche personnelle.

Pour rénover une pièce sans pour autant dépenser des fortunes, un coup de peinture sur le sol est une solution à la portée de tous. On peut certes peindre le béton et les panneaux de particules, mais le meilleur résultat s'obtient en général sur le plancher nu. D'abord, il faut débarrasser celui-ci de toute trace de vernis ou de cire :

si nécessaire, louez une ponceuse à parquet (voir pages 114 à 115).

Vous pouvez passer de la peinture spéciale pour sol, mais vous avez aussi la solution de passer de la peinture-émulsion ordinaire protégée par du vitrificateur. L'exemple ci-dessous prouve que l'on peut passer différentes couleurs pour créer des motifs.

1 Faites disparaître les têtes de clou proéminentes avec un marteau et un chasse-clou. Assurez-vous que toutes les lattes sont solidement fixées.

2 Renforcez l'effet de plancher en traçant de faux joints avec un marteau et un ciseau à froid pour ajouter des entailles de place en place. Ces faux raccords ressortiront mieux une fois la peinture appliquée.

3 Passez un dernier coup de ponceuse avant de peindre, surtout si vous n'avez pas commencé par passer la ponceuse à parquet. Une ponceuse vibrante à main convient parfaitement, mais poncez toujours dans le sens du fil. Ensuite, retirez la poussière avec un chiffon humide.

4 Obturez les pores du bois avec une couche primaire de bonne qualité, compatible avec la peinture que vous désirez appliquer par-dessus. Faites bien pénétrer la couche primaire dans le bois et attendez qu'elle sèche complètement avant de passer la peinture suivante.

5 Avec votre première couleur, peignez une latte sur deux en évitant de baver sur les lattes voisines. Respectez scrupuleusement les faux joints pratiqués au ciseau à froid. Commencez avec un gros pinceau et finissez si nécessaire avec un petit pinceau d'artiste.

6 Passez la deuxième couleur en faisant attention aux joints. Comme vous avez commencé par une couche primaire, il suffit d'une couche de peinture finale si vous n'êtes pas trop exigeant. Si vous utilisez de la peinture-émulsion, protégez-la une fois sèche avec trois couches de vitrificateur.

JOINTS DE CALFATAGE

Dans l'exemple ci-dessus, on a laissé des fentes entre les lames. Si vous désirez imperméabiliser complètement votre plancher, bouchez toutes les fentes avec un produit de calfatage approprié. Appliquez-le au pistolet et lissez chaque joint avec une éponge humide avant séchage.

CHAMBRE D'ENFANTS

La peinture de parquet convient bien aux chambres d'enfants, car elle résiste à l'usure et ne s'abîme pas facilement. Amusez-vous à dessiner des motifs qui raviront vos enfants. Pour l'entretien, repassez une couche de peinture de temps en temps : cela vous permet de changer les motifs à un faible coût au fur et à mesure que les enfants grandissent.

LES FINITIONS DE LA POSE DE PARQUET

OUTILLAGE

Marteau
Chasse-clou
Masque antipoussière
Lunettes de protection
Boules Quiès
Ponceuse à parquet
Ponceuse à bande
Ponceuse d'angle
Balai
Chiffons
White-spirit
Pinceau

MATÉRIEL NÉCESSAIRE

Clous
Cire, teinture, vernis
transparent ou coloré

Le plancher nu et teinté offre un aspect très naturel qui met en valeur le mobilier en bois.

Au lieu de peindre le plancher, on peut aussi le poncer, puis le teindre avant de le vitrifier ou de le cirer. Pour cela, il est pratiquement indispensable de louer une ponceuse à parquet, éventuellement avec une ponceuse à bande et une ponceuse d'angle. C'est un travail salissant : obturez le tour des portes avec du ruban adhésif pour éviter que la poussière n'envahisse toute la maison. Ouvrez les fenêtres de la pièce concernée, portez un masque antipoussière, des lunettes de protection et des boules Quiès. Les ponceuses fonctionnent toutes sur le même principe : relisez le mode d'emploi du constructeur avant de commencer.

1 Avant de poncer, assurez-vous que toutes les lattes sont solidement en place et qu'aucune tête de clou ne dépasse ; enfoncez celles-ci avec un marteau et un chasse-clou (voir étape n° 1 page 112) ; ajoutez quelques clous si nécessaire, mais attention aux tuyaux et conducteurs électriques sous le plancher.

2 Passez la ponceuse à 45° du fil du bois dans un sens, puis à 45° dans l'autre. Finissez le long des plinthes dans le sens du bois. Réduisez le grain du papier de verre au fur et à mesure.

3 La grosse ponceuse à parquet s'arrête à quelques centimètres des plinthes : finissez le périmètre avec une ponceuse à bande spéciale. Accrochez-vous bien aux poignées car cette machine est sujette aux sursauts.

4 La ponceuse à bande n'atteint pas les coins. Prenez pour cela votre ponceuse d'angle en location, dont la tête va jusqu'au fond du coin.

5 Après ponçage, retirez la poussière d'un coup de balai, puis avec un tissu imprégné de white-spirit, en une ou plusieurs fois.

6 Si vous aviez l'intention de cirer, c'est le moment. Si vous préférez d'abord teindre le bois, comme c'est le cas ici, peignez chaque latte individuellement. Progressez en continu d'un bout à l'autre du travail, sans repasser sur un endroit déjà teint. Déplacez toujours le pinceau dans le sens du fil.

7 Une fois la teinture sèche, protégez-la avec du vernis : certains vernis à l'eau sont particulièrement efficaces et leur temps de séchage court permet de passer deux couches par jour.

CHOIX DE LA TEINTURE

La plupart des parquets sont en bois blanc, de couleur pâle. En les teignant, on donne l'impression qu'il s'agit de bois dur. Cette faculté est un élément de souplesse dans la création de la palette décorative de la pièce, qui permet d'harmoniser les différents éléments.

GLOSSAIRE

A

AJOURÉ
Décoration géométrique répétitive formée de lignes droites verticales et horizontales.

ARASER
Action de couper un revêtement (tissu, papier peint, etc.) le long d'une plinthe ou en suivant la ligne de plafond.

B

BADIGEON
Peinture à base d'eau, de chaux éteinte et de pigments servant à peindre les murs et les plafonds en plâtre.

BAGUETTE
Moulure en demi-rond ou de section plus complexe, souvent utilisée en bordure ou en décoration. Désigne aussi les conduits électriques protégeant les conducteurs.

BALUSTRADE
Barrière posée le long d'un escalier ouvert ou sur un palier ; elle se compose de balustres, de noyaux et d'une rampe.

BALUSTRE
Colonnette soutenant la rampe le long d'un escalier ouvert.

BARBOTINE
Mortier très dilué que l'on fait pénétrer entre les carreaux d'un dallage afin d'obtenir des joints étanches.

BOIS DE BOUT
Pièce de bois qui est débitée perpendiculairement au fil du bois.

BOIS DUR
Bois provenant en général d'arbres à feuilles caduques comme le frêne, le hêtre et le chêne.

BOÎTE À ONGLETS
Boîte de coupe qui, associée à une scie à dos, permet de réaliser des coupes de baguettes à 45°.

BROSSE À MAROUFLER
Brosse longue et mince permettant de faire adhérer au maximum un revêtement collé sur un support.

C

CALEPINAGE
Composition décorative associant des carreaux (carrelage, vinyle, dalles de bois) de couleurs, de décors et/ou de dimensions et de formes différents.

CARRELETTE
Outil de coupe ressemblant à un massicot qui permet de tailler le carrelage.

CHANTOURNER
Scier selon une ligne courbe ou sinueuse.

CIMENT-COLLE
Pâte adhésive utilisée pour la fixation du carrelage.

CISEAU À FROID
Outil de découpe ayant un biseau tranchant.

COLLE PVA
(acétate de polyvinyle) Colle blanche et inodore qui devient transparente en séchant. Elle se mélange à la peinture pour rendre étanche la surface des objets.

CONTREPLAQUÉ
Panneau de dérivé du bois multiplis ou latté.
Les multiplis sont constitués de minces feuilles de bois (les plis) collées entre elles.
Les lattés sont composés de deux feuilles de placage extérieures qui contiennent des lattes collées les unes à côté des autres. Le latté est considéré comme de moins bonne qualité.

CORNICHE
Moulure décorative à l'angle d'un mur et d'un plafond.

COUCHE D'ASSIETTE
Couche d'apprêt que l'on passe avant d'appliquer les feuilles de métal servant à la dorure d'un meuble ou d'un cadre.

COUCHE DE FINITION
La dernière couche appliquée sur une surface. Il en faut parfois plusieurs.

COUCHE DE FOND
Une ou plusieurs des couches successives de peinture ou de vernis passées entre la peinture primaire et la couche finale.

COUP-DE-GENOU
Outil spécifique servant à fixer les moquettes tendues le long des murs.

CRAQUELÉ
Réseau de craquelures et de fissures qui marquent avec le temps la surface d'une peinture ou d'un vernis. Cet effet peut être recherché pour vieillir artificiellement une surface.

CRÉPI
Couche d'enduit ou de peinture épaisse, structurée plus ou moins profondément, appliquée sur un mur dans un but décoratif.

D

DÉFONCEUSE
Machine à bois dotée d'une fraise et servant à faire des rainures, des moulures et à défoncer des logements pour, par exemple, l'encastrement de charnières invisibles.

DÉTREMPE
Peinture opaque primitive à base de chaux en poudre ou de craie dissoute dans l'eau et liée avec de la colle animale.

DÉCAPAGE
Action d'enlever une couche de peinture ou de vernis avec un produit chimique ou avec de l'air chaud.

DOSSIER
Couche textile ou de mousse constituant le support d'une moquette.

E

ÉGRENER
Rendre une surface rugueuse, souvent par ponçage, pour donner une meilleure accroche à de la peinture ou de la colle.

EMBRASEMENT
Renfoncement du mur au niveau d'une porte ou d'une fenêtre.

ENCADREMENT
Moulure qui encadre une porte ou une fenêtre.

ENDUIT
Couche régulière de mortier ou de plâtre que l'on dépose à la surface d'un mur pour offrir une surface plane à de la peinture, un crépi ou un revêtement (papier peint, par exemple).

F

FAUX MARBRE
Procédé de peinture visant à reproduire l'aspect du marbre.

FEUILLE DE MÉTAL
Feuille ultrafine utilisée pour la dorure sur bois ou sur d'autres matières.

FEUILLURE
Rainure pratiquée le long de la rive d'une pièce, destinée à recevoir une autre pièce.

FIL
Direction des fibres d'un morceau de bois.

FINITION LUSTRÉE
Finition d'une peinture intermédiaire entre le mat et le brillant (aussi appelée satinée).

FINITION MATE
Aspect non réfléchissant d'une peinture ou d'un carreau non vitrifié.

FORET
(appelé aussi mèche) Outil de métal cylindrique utilisé pour percer le bois, la pierre, le mortier et le béton.

FRISETTES
Lames de bois à chant rainuré d'un côté, bouveté (languette) et généralement mouluré de l'autre, assemblées par emboîtement, pour former un revêtement mural de type lambris.

G

GLACIS
Peinture spéciale qui est travaillée avant séchage complet (à la brosse par exemple), afin d'obtenir une texture particulière. Également nom de la technique de peinture.

I

IMPRESSION
Première couche de peinture, généralement diluée, pour favoriser l'accrochage et l'opacité des suivantes.

J

JOINT D'ÉTANCHÉITÉ
Pâte adhésive à base de silicone, utilisée pour imperméabiliser le raccord entre deux surfaces, par exemple un carrelage, une baignoire ou un bac à douche.

L

LAMBRIS
Panneaux de bois formant un revêtement mural.

LÉ
Bande d'un revêtement (papier peint, notamment), présenté en rouleau.

LIMON
Pièce de bois supportant les marches d'un escalier.

LINTEAU
Pièce horizontale, en bois, en béton ou en métal, servant de poutre pour fermer la partie supérieure d'une ouverture (porte ou fenêtre).

LITEAU
Long morceau de bois de petite section (en général de 25 x 50 mm), utilisé comme support de tablettes ou de tuiles.

M

MAROUFLER
Application par forte pression d'un revêtement à l'aide d'une roulette ou d'une brosse de tapissier.

MDF
(aussi appelé Médium)
Panneaux de fibres compressées, servant à la confection d'étagères ou de petits meubles, également pour la réfection des parquets.

MOULURE
Fine baguette de bois ou d'autre matière, en général décorative ; on en trouve de différentes sections pour les plinthes, les barres d'appui et les cimaises.

O

ONGLET
Assemblage entre deux pièces biseautées à 45°, pour former un angle à 90° après assemblage.

P

PANNEAU DE FIBRES
Type de panneau fabriqué par compression de fibres de bois au grain fin. Suivant leur densité, on parle de panneau de fibres mou ou de panneau de fibres dur. Certains sont perforés pour procurer une isolation phonique.

PANNEAU DE PARTICULES
(appelé aussi aggloméré)
Panneaux constitués de fines particules de bois agglomérées à chaud et sous forte pression.

PAPIER CACHE
Ruban adhésif, le plus souvent en crépon, utilisé pour protéger certains endroits de la peinture.

PAPIER D'APPRÊT
Papier mince utilisé autrefois pour fournir une surface régulière avant la pose du papier peint.

PAREMENT
Face décorative d'une pierre, d'une brique ou d'un carreau.

PARQUET FLOTTANT
Lames ou dalles de parquet, contrecollées ou non sur un support, assemblées par emboîtement (rainure et languette), avec ou sans apport de colle (mais jamais avec des clous), sans fixation au sol ou sur solives.

PATINE
Effet que l'on obtient par divers procédés pour donner à un objet ou à un meuble l'aspect de l'ancien.

PEINTURE-ÉMULSION
Peinture à l'eau, mate ou lustrée, pour les murs et plafonds intérieurs. Sèche rapidement et se nettoie facilement.

PILASTRE
Élément d'une balustrade ; par exemple la colonnette la plus robuste placée en haut et en bas de l'escalier, supportant la rampe.

PINCE À ROGNER
Outil servant à tailler des carreaux de grès ou de faïence. Elle sert pour toutes les découpes qui ne peuvent être faites à la carrelette.

PLACAGE
Fine couche de bois de qualité, appliquée sur un bois moins noble.

POCHOIR
Accessoire en carton épais ou en plastique permettant de reproduire des motifs sur différents supports (murs, sols, objets de décoration, etc.). La peinture est mise en œuvre à l'aide de brosses spéciales.

PRIMAIRE
(ou couche de fond) Il s'agit de la première couche de peinture (souvent diluée) que l'on applique sur un support. Désigne aussi plus généralement tout produit destiné à favoriser l'accrochage d'une peinture ou d'un autre produit sur un support.

PVC
(ou polychlorure de vinyle)
Matériau constituant les revêtements plastiques et les canalisations d'évacuation.

Q

QUEUE-DE-MORUE
Brosse plate dont on se sert pour peindre ou pour venir.

R

RAGRÉER
Application d'un mortier autolissant sur un sol irrégulier pour le rendre parfaitement plan.

RAINURE ET LANGUETTE
Assemblage de deux lames de bois – par exemple plancher ou frisettes – dont un chant possède une languette saillante et l'autre une fente ou rainure dans laquelle s'emboîte la languette de la lame suivante.

RECHAMPIR
Technique de peinture consistant à mettre en valeur les moulures en les soulignant d'une teinte plus foncée.

S

SPALTER
Brosse plate dont on se sert pour faire des effets, notamment le faux bois.

STUC
Mélange de plâtre et de colle pour former un mortier imitant le marbre, que l'on utilise pour former des moulures, des motifs décoratifs, des rosaces et pour enduire les murs.

T

TAMPON LAQUEUR
Petit outil dont on se sert pour appliquer les peintures, plus particulièrement les laques, ou les vernis. Il se compose d'un patin sur lequel se fixe un tampon en laine mohair ou en synthétique.

TASSEAU
Longue pièce de bois de section moyenne (50 à 60 mm de côté).

TERRE D'OMBRE
Pigment naturel d'une couleur brun verdâtre utilisé en peinture. Chauffée, elle devient la terre d'ombre brûlée, marron foncé.

THIBAUDE
Sous-couche en tissu, en chanvre ou en plastique qui se pose sous les moquettes non pourvues d'un double dossier et qui doivent être posées tendues. Elle permet d'augmenter l'isolation et le confort.

TOURILLON
Cheville en bois de section ronde, parfois cannelée sur toute sa longueur. Utilisée pour boucher un trou ou pour permettre l'assemblage de deux morceaux de bois.

V

VASISTAS
Petite fenêtre placée au-dessus d'une porte ou en toiture, articulée sur sa traverse inférieure ou supérieure.

VERT-DE-GRIS
Pigment vert bleuâtre obtenu en grattant la patine qui se forme sur le cuivre lorsqu'il est exposé à des vapeurs de vinaigre.

INDEX

Les numéros de page en *italique* se réfèrent à des légendes ou à des encadrés

REMERCIEMENTS

Crédits photographiques :

L'éditeur remercie les auteurs des photos suivantes d'en avoir autorisé
la reproduction dans cet ouvrage.
h = haut, b = bas, c = centre, g = gauche, d = droite

Toutes les photographies sont de Tim Ridley à l'exception des pages

6-7 Crowson Fabrics, 23 bd Paul Ryan/International Interiors, 24 c & bc IPC
Syndications, 30 hc Lyn le Grice/International Interiors, 32 hc The Stencil
Store, 38 hc, 48 hc & 50 hc Crowson Fabrics, 52 hc Graham & Brown
Wallpaper, 54 hc Fired Earth, 55 bd Colin Poole, 56 hc Steve Sparrow/Houses
& Interiors, 58 hc Arcaid, 60 hc & 62 hc Mosaic Workshop, 66 hc Nick
Pope/Rosalind Burdett, 68 hc Elizabeth Whiting & Associates, 70 hc Steel-
Lock, 72 hc IPC Syndications, 76 hc Key Communications, 83 bd Elizabeth
Whiting & Associates, 92 Paul Ryan/International Interiors, 93 hd & cd
Elizabeth Whiting & Associates, 94 Camera Press, 95 hg Paul
Ryan/International Interiors, 95 hd IPC Syndications, 98 hc Amtico Image
Library, 100 hc International Stransky Thompson PR, 102 hc & 104 hc
Victoria Carpets Ltd, 105 bd Elizabeth Whiting & Associates, 106 hc Fired
Earth, 108 hc Stonell Ltd, 110 hc Kahrs Ash Stockholm, 112 hc & 113 bd
Paul Ryan/International Interiors, 114 hc Ducal of Sommerset, 115 bd
ColinPoole.

Les illustrations des pages 20-21, 22-23, 27, 90-91, 93, 95 sont de Patrick
Mulrey; 14-15, 47, 97 de Chris Forsey.

Remerciements :

L'éditeur remercie pour leur aide les sociétés et personnes suivantes :
Miles Hardware 57 Glenthorne Ave, Yeovil, Somerset, BA21 4PN (01935
421281) ; **B.J. White** 4 Vale Road, Pen Mill Trading Estate, Yeovil, Somerset
BA21 5HL (01935 382400) ; **Magnet Limited** Royd Ings Ave, Keighley, West
Yorkshire BD21 4BY (0800 9171696) ; **Hewden Plant Hire** Station Road,
Bruton, Somerset BA10 0EH (01749 812267) ; **Travis Perkins Trading
Company Limited** Mill Street, Wincanton, Somerset BA9 9AP (01963
33881) ; **The Stencil Store** 20-21 Heronsgate Road, Chorleywood, Herts WD3
5BN (01923 285577/88) ; **The English Stamp Company** Worth Matravers ;
Dorset BH19 3JP (01929 439117) ; **Amorim Ltd** Amorim House, Star Road,
Partridge Green, Horsham, West Sussex RH13 8RA (01403 710970) ;
Dovecote Gallery 16 High Street, Bruton, Somerset BA10 0AA ; B J Haigh-
Lumby 1 High Street, Castle Cary, Somerset BA7 7AN (01963 351259) ;
Bruton Classic Furniture Co. Limited Unit 1 Riverside, Station Road
Industrial Estate, Bruton, Somerset BA10 0EH (01749 813266) ; MGR
Exports Station Road, Bruton, Somerset BA10 0EH (01749 812460) ;
Polyvine Limited Vine House, Rockhampton, Berkeley GL13 9DT (01454
261276) ; The Fabric Barn Clock House, Yeovil, Somerset BA22 7NB (01935
851025) ; Aristocast Originals 14A Ongreave House ; Dore House, Industrial
Estate, Sheffield, S13 9NP (0114 2690900) ; Tile Wise Limited 12-14
Enterprise Mews, Sea King Road, Lynx Trading Estate, Yeovil, Somerset BA20
2NZ (01935 412220) ; The Amtico Company Limited (0800 667766) ; Dulux
Decorator Centres Altrincham, Cheshire, WA14 5PG (0161 9683000) ; Kahrs
(UK) Limited ; Unit 2 West, 68 Bognor Road, Chichester, West Sussex PO19
2NS (01243 778747) ; Claire Minter-Kemp Tom Dickins Fine Art, The Pump
Room, Lower Mill Street, Ludlow, Shropshire (01584 879000) ; Mr S.
Weatherhead, London House, 12 High Street, Wincanton, Somerset.

Merci également à :
Ann Argent, Tom and Hennie Buckley, Susan Clothier, Bill Dove, John Fives,
Steve Green, George Hearn, David House, Richard Lane, June Parham,
Michael et Sue Read, Ann Squires.

Enfin un merci tout particulier à ceux qui nous ont aidés à réaliser cet
ouvrage : Peter Adams, Antonia Cunningham, Susie Behar, Alison Bolus,
Dorothy Frame, Thomas Keenes, Theresa Lane, Maggie McCormick, Katrina
Moore, Tim Ridley.